EEN LIEFDE DIE GEEN GENADE VOND

Mathieu Breuer

Een liefde die geen genade vond

Westfriesland

www.kok.nl

NUR 344
ISBN 978 90 205 2917 3

Omslagillustratie- en ontwerp: Bas Mazur

VOORWOORD

Dit boek draag ik gaarne op aan hen, die het leven lieten in de Tweede Wereldoorlog voor onze vrijheid. Vooral aan de Amerikanen en Britten, die in de enige tankslag in Nederland omkwamen bij de Slag om Overloon. Een stichting zorgde nadien, dat stille getuigen een blijvende herinnering zijn aan die slag, opdat wij nooit vergeten...! Het Nationaal Oorlogs- en Verzetsmuseum, waar ik zelf tien jaar werkzaam was, houdt die herinnering terecht levend.

HOOFDSTUK 1

Een verre torenklok slaat acht keren en verbreekt de stilte die in het kleine dorp en die over de akkers, weiden en bossen hangt. De zon klimt al hoger en hoger en belooft er weer een mooie dag van te maken.
Aan de rand van een groot bosperceel stapt een blond meisje, gekleed in een eenvoudig katoenen jurkje, een kleine keuterij uit en laat het armetierige hekje van de voortuin maar open staan. De kleine fox dribbelt nog een paar pasjes met haar mee, draait zich dan om, omdat hij weet dat het meisje naar school toe gaat, zoals elke morgen rond de klok van achten.
Een honderd meter verderop, bij een schamele woning, staat al een jongen op haar te wachten. Hij schopt van verveling tegen een steentje dat op de onverharde weg ligt. Het vliegt de berm in. En alsof een 'hallo' of 'goeiemorgen' niet hoeft, sluit hij aan als het meisje hem bereikt heeft. Hij begint meteen te mopperen dat het vandaag wel weer net zo'n verrekte hete dag zal worden als gisteren.
Fleur – want zo heet het meisje – lacht haar mooie tanden bloot en zegt dat het haar niks kan schelen. Samen slenteren ze over het zandpad richting het dorp.
Harm schopt van balorigheid de ene steen na de andere de berm of de droge sloot in, die naast het zandpad de scheiding vormt met een heide- en bosgebied.
'Ik wou,' doet hij voor het eerst zijn mond open, 'dat de hoofdmeester ziek was, dan konden we mooi naar huis en ging ik zwemmen in de beek.' En zijn zwarte krullenkop knikt heftig, alsof hij het al helemaal ziet zitten.
'Och jong,' schimpt Fleur, 'dat kun je glad vergeten, onze meester is toch haast nooit ziek en zeker niet in de zomer.'
Harm zegt niets terug, hij weet ook wel dat de kans zeer gering is, maar toch… Hij heeft in tegenstelling tot zijn klasgenootje een gruwelijke hekel aan de school. Hij bakt er ook niet veel van, in tegenstelling tot zijn buurmeisje, en zwerft, net als zijn vader, veel liever over de heide en in de moerassen en de vele bossen om hun woongebied.

Die rotschool ook. En vanmorgen ook nog catechismusles. Fleur kent natuurlijk het vraag- en antwoordspel als geen ander. Hij weet zich amper een vraag te herinneren, laat staan een antwoord. Nee, dat is allemaal aan hem niet besteed. Hij wordt pas goed wakker op school onder de biologieles van de meester. Als geen ander noemt hij feilloos de bloemen en planten uit de natuur op, en kent hij de namen van de dieren en vogels die er al zoal te bewonderen zijn. Het is ook een van de weinige vakken waarvoor hij een voldoende op zijn rapport heeft. En hoewel Fleur hem altijd de helpende hand biedt, zelfs zachtjes antwoorden voorzegt of haar sommen naar hem toeschuift om over te schrijven, komt hij niet veel verder dan een vijf, soms bij veel afkijken een zes.
Maar het zal hem een rotzorg zijn. Nog enkele dagen en dan gaat hij van school af en met vader mee. Die probeert de kost te verdienen met stropen en smokkelen, en dat vrije leventje staat hem wel aan. Heel wat anders dan dat duffe schoollokaal, waar die vervloekte sommen met ellenlange staartdelingen hem koppijn bezorgen, zelfs als hij er alleen maar aan denkt.
Fleur kijkt eens opzij en ziet zijn sombere gezicht. 'Goh... kijk eens wat vriendelijker met dit mooie weer. Bovendien is het maar een halve dag vandaag, vanmiddag en morgen op zondag zijn we toch vrij!'
Harm zucht, alsof hij een baal meel van vijftig kilo op zijn schouders heeft liggen. Hij zou die door zijn flinke postuur overigens makkelijk kunnen dragen, dat wel, maar die school...
Dan beseft hij dat zijn trouwe buurmeisje er ook niks aan kan doen en zet hij een ander gezicht op.
'Tja, jij hebt makkelijk praten, jij kent de catechismus zeker, ik niet.'
'Hebben ze jou thuis dan niet overhoord?' vraagt Fleur verbaasd, hoewel ze eigenlijk het antwoord al weet.
'Pfhhh,' blaast Harm en eigenlijk zegt dat al genoeg, maar hij raast verder: 'Moeder heeft het véul te druk, zei ze en vader zegt dat je van die flauwekul niks nie wijzer wordt, en onze rothond heeft de catechismus in zijn bek gehad en de helft tot snippers gescheurd, voordat ik hem kon afpakken.'

Fleur kijkt Harm van opzij aan en schiet in de lach om zijn hulpeloze blik. 'Ach Harm,' zegt ze en ze legt vertrouwelijk een hand op zijn arm, 'als je een beurt krijgt, zeg ik het wel voor, maar alle kans dat de meester je toch overslaat.' Ze zegt er maar niet bij dat die al vaker heeft laten doorschemeren dat het toch vechten tegen de bierkaai is met die Harm. Bovendien tonen zijn ouders nauwelijks enige interesse in zijn leerresultaten.
Als ze het dorp naderen, sluiten hier en daar nog een jongen en meisje aan en door het geslenter van Harm zijn ze nog maar net op tijd, want ze zijn nog maar nauwelijks op de speelplaats of de schoolbel gaat.
De kinderen stellen zich op, ieder in een rij bij zijn eigen juf of meester. Dan, te beginnen met de kleintjes, gaat elke rij op toerbeurt naar binnen; de rij van de hoogste klas het laatst. Dat scheelt alweer een paar minuten, denkt Harm cynisch, die toch niet gerust is over een mogelijke beurt met de catechismus.
De meester begint met een gebed, zoals elke morgen en middag op school, en daarna volgt meteen de catechismusles.
Harm maakt zich zo klein mogelijk achter de brede rug van zijn voorbuurman, Piet van de smid. Fleur zit fier rechtop naast hem, zij zou de beurt best willen. Haar moeder heeft haar diverse keren overhoord. Die had ook alle tijd, want ze ligt al geruime tijd in bed. Soms, als het met haar ziekte wat beter gaat, is ze even een morgen of middag op, maar nooit lang. Fleur heeft haar vader nauwelijks gekend, want die is met het kappen van bomen voor de baron om het leven gekomen door een verkeerd vallende boom. Daarom zijn Fleur en haar moeder alleen in het kleine bedoeninkje aan de rand van het bos.
De meester stelt de eerste vraag aan Doortje van de koster. Die dreunt het antwoord zo uit haar blote hoofd op. Ook Chris van de drogist hapert nauwelijks op de vraag van de meester om de tien geboden op te noemen. Maar nu komt meester toch vervaarlijk dicht bij hun tweetjes achteraan. Eerst krijgt Toos van de kapper nog een vraag over de twaalf artikelen van het geloof. Met veel geluk, denkt Harm, kom ik tot drie, maar dan ook nog niet eens in de goeie volgorde, hoort hij van Toos.

‘Fleur,’ zegt de meester dan, ‘zeg eens de oefening van berouw op.’
Fleur gaat er eens recht voor zitten en even later dreunt het door het klaslokaal: ‘Barmhartige God, ik heb spijt over mijne zonden...,’ en zo ratelt Fleur zonder enige hapering de oefening op. Harm maakt zich nog kleiner, enerzijds uit ontzag voor Fleur, die alles zo maar uit haar mouw schudt, anderzijds om zich onzichtbaar te maken, opdat de meester hem maar zal overslaan. En terwijl Fleur een goedkeurend knikje krijgt van het hoofd, ligt Harm zowat plat op zijn bank.
‘Harm, hoe is het?’ klinkt het plotseling uit meesters mond. ‘De les geleerd of niet?’ Want ook meester kent ondertussen zijn pappenheimers wel. Harm schiet met een vuurrode kop overeind. Daar heb je ’t gelazer al! Wat zal hij zeggen? Eerlijk vertellen dat de hond... of vertrouwen op Fleurs voorzeggen? Maar als het een of ander artikel is, kan Fleur dat hele geval hem toch niet influisteren zonder dat de meester het merkt.
Aarzelend zegt hij daarom: ‘Nou... neje, neje meester, ik kon het niet leren.’
‘O nee?’ doet deze verbaasd, benieuwd wat Harm nu weer te berde zal brengen. ‘En waarom dan niet, Harm?’
Harm weifelt, zal hij het maar eerlijk zeggen? Och waarom ook niet, over een paar dagen is hij hier toch pleite. ‘Nou... eh... de hond, meester...’
‘Wat heeft de hond ermee te maken, Harm?’ Want meester is wel benieuwd wat Harm nu weer verzonnen heeft.
Harm hoort de nieuwsgierigheid in meesters stem en gaat dapper verder: ‘Nou... die heeft de catechismus te pakken gehad en grotendeels tot snippers gescheurd en nèt wat we leren moesten, natuurlijk.’ Ziezo, dat is eruit, denkt Harm, en nou maar vast de borst natmaken, voor de uitbrander of straf.
Maar de klas ligt in een deuk om Harms gezegde. Alleen Fleur, die het verhaal toch al gehoord had, kijkt alsof zoiets iedereen toch kan overkomen. De meester, die het blijkbaar wel origineel vindt wat Harm naar voren brengt, zegt mild: ‘Ja, dan had ik de vraag beter aan je hond kunnen stellen, misschien had die het wèl geweten?’

De klas proest het uit, en voelt perfect aan dat meester nu zo te zien een goeie bui heeft. Zelfs Harm haalt opgelucht adem en grinnikt maar wat mee. Het duurt een tijdje voor het hoofd de klas weer stil heeft en de les kan vervolgen. Gelukkig, denkt Harm en knipoogt naar zijn buurvrouw, die nu ook durft te glimlachen als ze zijn grinnikend gezicht ziet.
En zo verloopt de ochtend verder voor Harm zonder al te veel verdere besognes en voelt hij zich een heel andere kerel als hij om twaalf uur met Fleur het dorp verlaat, op weg naar hun afgelegen huisjes.
'Nog een paar daagjes, Fleur, en dan kan me verder de school gestolen worden. Dan ga ik met va mee stropen en misschien wel smokkelen naar België, boter en sigaretten.'
Fleur denkt dat het wat grootspraak is van de ander en zegt dan ook: 'Je vader ziet je aankomen, je zou misschien wel de boel verraden en zo iemand heeft hij zeker niet nodig.' En ze schudt heftig haar blonde lokken.
'Nou, met stropen heb ik al zo vaak strikken gezet en vader heeft het me zelf beloofd. Harm, zei die, als jij van school af bent en toch niet verder wilt leren, dan help je mij maar, ik word al een dagje ouder en ben niet zo rap meer als vroeger.'
Fleur schudt nogmaals haar hoofd, hoe kon die vader dat nou zeggen! Ze wou maar dat zíj door mocht leren, maar nee, ze zal de huishouding moeten doen. Moeder kan bekant niks meer, ja, misschien een keer een paar aardappelen schillen, maar verder... En zij is natuurlijk enig kind gebleven, na de dood van vader. Nu kan ze moeder verzorgen en het huishouden doen, en wellicht nog naar een of ander poetshuis voor wat inkomsten. Want van de moestuin, die de vader van Harm tot nu toe wat onderhouden heeft, kunnen ze niet rondkomen. Er zijn een hoop andere dingen die gekocht moeten worden, zoals brood en beleg en af en toe een stukje vlees, en petroleum voor de lamp...
Maar Harm heeft van al die gedachten geen weet en vraagt of ze die middag mee gaat zwemmen in de beek. 'Gut, joh, moeder zal me zien aankomen, ik heb geeneens een badpak, en trouwens, ik zou als meisje toch niet mogen.'

Maar Harm ziet het probleem niet. 'Ik heb ook geen zwembroek, mijn onderbroek is goed genoeg en met dit weer ben je in tien minuten weer droog en je hoeft het toch niet te zeggen thuis, doe ik ook niet. Niemand die er ooit achter komt.'
Fleur kijkt hem verbaasd aan. 'En als ze het later merken, wat dan...?'
'Nou..." Harm haalt onverschillig zijn schouders op. 'Wat dan nog?'
Maar Fleur beslist kort en goed: 'Nee, Harm, ik mag het niet en doe het ook niet. Er moeten nog boodschappen gedaan worden in het dorp, ik moet de boel toch wat poetsen voor zondag?'
'Voor wie?' vraagt de ander en hij trekt zijn wenkbrauwen op. 'Bij jullie komt net zomin als bij ons iemand op bezoek, dus waarom dat uitsloven dan?'
Fleur staat plotseling stil, midden op het pad. Ze denkt na. Ja, eigenlijk heeft Harm wel gelijk, bezoek krijgen ze haast nooit, hooguit van Harms ouders, maar ze weet dat ze zich daarvoor niet hoeft uit te sloven, daar is het een grotere janboel dan bij haar thuis. Dan schiet het haar te binnen. 'Ja maar, als de dokter voor moeke komt, moet het wel netjes zijn, hoor.'
Harm knikt, da's waar. De dokter komt geregeld voor haar moeke, bij hen heeft hij die kwakzalver nog nooit gezien. Dat kost alleen maar geld, heeft hij zijn vader eens horen zeggen, toen de jachtopziener hem een lading hagel in zijn kont geschoten had. Moeder heeft die loden korrels er zelf met een scherp broodmes allemaal uit gehaald. En maar foeteren dat ze al zoveel keer gezegd had dat het zou gebeuren, maar dat vader toch nooit wilde luisteren. Die had een zakdoek tussen zijn tanden gedaan en beet erop, zeker van de pijn, maar hij had geen kik gelaten en dat vond Harm toch wel knap.
'Nou hé, loop je nog verder, mijn troela, of blijven we hier een potje knikkeren?' vraagt hij dan en hij draait met de hak van zijn schoen een kuiltje in de zanderige bodem.
'Gekkerd,' reageert Fleur en ze duwt hem bijkans omver.
'Wacht maar!' is zijn antwoord, maar Fleur is met haar rappe, slanke benen al een straatlengte voor hem. Ze wist wel hoe hij zou reageren. Uitdagend blijft ze een eind verderop staan als zij

ziet dat hij zijn poging haar in te halen, gestaakt heeft.
Langzaam slentert hij op haar toe en net als zij denkt dat ze weer verder lopen, grijpt hij haar plotseling vast. 'Kip-ik-heb-je, dame, en nu genade zeggen, want anders...'
Maar Fleur is helemaal niet onder de indruk van zijn woorden en zegt: 'Wat... anders?' Ze kijkt hem met haar guitige ogen aan.
'Anders wordt het afkopen met een zoentje.'
'Haha,' schatert ze 'Jij wel, je weet niet eens hoe dat moet!'
Maar dat laat Harm niet op zich zitten. In een ruk trekt hij haar in zijn sterke armen, ze voelt hoe hij haar lichaam tegen zijn borstkast drukt en prompt zijn lippen op de hare duwt. Even schrikt ze, dan vindt ze het niet eens een rare gewaarwording en ze zoent hem vol overgave terug.
Verbouwereerd dat Fleur geen weerstand bood en niet tegenstribbelde, laat Harm haar los en stamelt: 'Ik dacht... eh... ik... dacht dat je je wel zou weren, maar eh...' En met een vuurrood hoofd kijkt hij haar aan. Hij ziet echter alleen een paar stralende ogen, en alles duidt erop dat ze het zeker niet vervelend vond.
'Gekkerd, waarom zou ik? Je zegt toch altijd dat je later met me wilt trouwen, of ben je dat alweer vergeten?'
Nee, dat heeft hij wel altijd gezegd en dat meent hij ook, maar dat ze hem nu zo pardoes ter wille wilde zijn, had hij niet verwacht.
'Nou... gaan we nu verder of moet er nog geknikkerd worden?'
Maar zelf maakt ze nu aanstalten om haar weg te vervolgen. Hij sjokt achter haar aan, nog beduusd over het voorval en haar woorden.
Bij zijn huis aangekomen zegt ze: 'Nou, tot maandagochtend,' en ginnegappend voegt ze eraan toe: 'En als je de catechismusbladzijden kwijt bent, kom je de mijne maar lenen, onze hond doet zoiets tenminste niet.'
Hij steekt zijn tong uit naar haar en roept: 'Misschien kom ik helpen poetsen, maar niets voor niets...' En hij tuit zijn lippen.
'Je komt maar, maar of ik je zo betaal als jij wilt, staat nog te bezien.' En lachend huppelt ze de laatste honderd meter naar huis, zonder om te kijken. Anders had ze Harm dromend zien

staan, midden op het zandpad. Hij komt pas weer in beweging als ze de deur naar hun huisje opent. Die gekke Fleur ook, bedenkt hij. Hij draait zich om en loopt achterom.
Fleur gaat hun woninkje binnen. Moeder zit aan tafel, ze is uit bed en schilt zowaar een paar aardappelen.
'Dag moe, lukt het een beetje?'
'Dag kind, ja hoor, ik wou effe dat bed uit, ik kan er nog genoeg in liggen...'
Dat vindt Fleur ook. Ze loopt naar de enige kastdeur in de kamer, tevens keukenruimte. Eigenlijk is het maar een armoedige bedoening, weet ze. Een houten tafel met vier stoelen voor een paar kleine vensters met luikjes ervoor. Een plavuizen vloer, waarvan de nodige tegels gebarsten zijn. De bedstee, waarin moeder meestal ligt, met een houten trapje ervoor, opdat ze er beter in en uit kan. Een olielamp aan het plafond, want zo ver van het dorp hebben zij en bij Harm geen elektrisch licht. Een fornuis voor de schouw, waar op diverse plekken het email beschadigd is. Een oude leunstoel ernaast, waar moeder wel eens even in uitrust. Het deurtje naar de kelder links, en rechts de twee treden naar het opkamertje, waar zijzelf slaapt. Dan hebben ze nog een aanbouw met het 'huuske' waarin de poepdoos met houten deksel staat, een bakje met velletjes papier om de boel schoon te vegen en de emmer met water om wat na te spoelen. Ernaast hebben ze in een hok een geit staan, als die niet buiten op het grasveld of in de bermen langs het zandpad loopt. Daar hebben ze de melk van, gelukkig, anders zou ze daarvoor helemaal naar de dichtstbijzijnde boer moeten en dat is zeker een kwartier lopen. Verder is buiten de gootsteen en de pomp.
Fleur pakt een snee brood en vraagt of moeder er ook een wil, maar deze heeft vanmorgen toen ze pas opstond, al wat gegeten. Ze smeert er wat eigengemaakte jam op en schenkt zich uit een witte melkkan wat geitenmelk in een beker. Dan gaat ze aan tafel zitten bij moeder en vertelt over de geschiedenis van Harm en de catechismus. Moeder schudt afkeurend het hoofd.
'Het is me daar het huishouden wel, meidje. Ik snap die moeder niet, die kan toch ook, net als ik, de catechismus overhoren?'

'Ja maar… de hond had…' voert Fleur ter verdediging aan. Maar moeder is daar niet van onder de indruk. 'Een huishouden van Jan Steen daar, dat is altijd al zo geweest.' En haar magere gezicht vertoont een afkeurende blik. Dat zal wel niet veel soeps betekenen, denkt Fleur, die de uitdrukking niet eerder gehoord heeft, maar moeders gezicht zegt haar genoeg.

Maar Harm heeft daar die middag geen last van, hij zwemt – of beter gezegd: doet pogingen daartoe – in de beek met het heldere water. Af en toe grijpt zijn hand tevergeefs naar een stekelbaarsje dat op zijn pad komt. Hier kon hij net zo goed naakt zwemmen, want in de wijde omtrek is er geen levende ziel te bespeuren. Zelfs de boswachter van het kasteel niet, want dit is niet het domein van de baron. Dat ligt aan de andere kant, meer bij het huisje van Fleur. Ja, Fleur… Daar zal hij straks eens een kijkje nemen, misschien kan hij haar een handje helpen, dat doen zijn ouders ook op z'n tijd. Bovendien weet hij dat zijn vader er geregeld een geslachte haas of konijn of kip brengt. 'Ze kunnen daar af en toe wel een stukje vlees gebruiken,' is dan zijn commentaar.
Die Fleur is een toffe meid, al jaren gaan ze samen naar school. Binnenkort is het afgelopen, maar dan heeft hij wellicht nog wel meer tijd om haar te ontmoeten. Zij moet dan thuis het huishouden gaan doen, terwijl ze eigenlijk best kon doorleren, had de meester gezegd. Maar ze is hard nodig thuis, en zal ook wel hier en daar moeten poetsen voor wat inkomsten. Maar als hij met smokkelen en stropen wat verdient – want het wild wordt regelmatig door vader verkocht in de stad – zal hij wel bijspringen. Ze trouwen immers later samen, dat heeft ze zelf beloofd. En belofte maakt schuld, dat spreekwoord heeft meester eens uitgelegd in de klas.
En zo mijmert hij over zijn Fleur, terwijl deze met een emmer water van de waterput achter hun huisje, de vloer van de keuken een dweilbeurt geeft. Want morgen is het zondag en dan mag er na de kerk niet meer gewerkt worden, weet ze. Nou ja… eten klaarmaken en het bed opschudden mag wel, maar zeker niet dweilen.

Hoewel Harm wel gelijk had... Wie komt er nou bij hen langs? Ja, Harm misschien, of zijn vader of moeder, maar daarvoor hoeft ze zich waarachtig niet uit te sloven, weet ze. Zonder poetsen is hun huisje nog heilig, vergeleken bij dat van Harm. Harm... Even gaan haar gedachten naar die zoen op de terugweg van school.
Het is maar goed dat haar moeder met de rug naar haar toe zit, want haar ogen zouden verraden dat het méér was geweest dan dat zoentje. Het had even een héél warm gevoel gegeven, iets dat ze nog niet eerder ervaren had.
Zou het altijd zo heerlijk wezen...? Nou, dan hoopte ze maar dat hij vandaag of morgen nog eens langskwam en haar dan weer zou zoenen.
De stem van haar moeder, die vraagt of ze vastgenageld staat aan de vloer, brengt haar weer terug in de werkelijkheid.
Nou gauw verder, vanavond in bed kan ze immers ongestoord verder dromen.

Honderden meters verderop ligt Harm in de zon, in de berm van de slootkant. Zijn onderbroek moet even drogen. Al mijmerend denkt ook hij aan die zoen en aan de overgave waarmee Fleur hem heeft teruggezoend. Het heeft ook bij hem nieuwe gevoelens opgeroepen, die er voordien nog nooit geweest zijn. Fleur, een aardige, maar ook nog een mooie meid, bedenkt hij.
Zal ze haar belofte nakomen en later met hem trouwen? Aan hem zal het niet liggen. Maar als ze nou eens niet wil dat hij smokkelen en stropen gaat, zoals zijn vader?
Tja... dan moet hij een baan zoeken, beseft hij. Maar wat voor een baan? In ieder geval iets in de buitenlucht, neemt hij zich voor, want binnenwerk houdt hij als natuurmens nooit van z'n leven vol.
Och... komt tijd, komt raad, bedenkt hij. Hij slaat zijn armen onder zijn hoofd, sluit zijn ogen en droomt voort.

HOOFDSTUK 2

Na de laatste schooldag volgt er voor Harm een betere periode dan voor de arme Fleur.
Fleur verzorgt haar zieke moeder, werkt in de moestuin, zorgt voor de geit en poetst een ochtend per week het huis van de meester. Harm zwerft in en rond het huis, over de heide, langs de beek en door de bossen. Toch is Harm ook geregeld te vinden bij Fleur. Hij helpt her en der wat, melkt indien nodig de geit en verzorgt mede de moestuin. Maar in één ding kan hij niet helpen: de steeds zwakker wordende moeder.
Zij gaat met sprongen achteruit, ondanks dat dokter Heg er geregeld verschijnt, haar medicijnen geeft en nooit iets in rekening brengt. Maar de hoestbuien worden steeds erger, en af en toe geeft de vrouw bloed op, wat de jongelui natuurlijk sterk verontrust.
Op een middag vertelt de dokter buiten aan Fleur dat het weleens gauw afgelopen kan zijn met haar moeder. Dat valt ondanks alles toch nog rauw op haar dak. Ook heeft hij Fleur opgedragen dat, als het ernstiger wordt, men hem moet roepen, al is het midden in de nacht.
Als Harm dat hoort, moet Fleur beloven in dat geval naar hem toe te komen. Harm zal op de fiets van zijn vader véél sneller bij de dokter zijn dan zij lopend, terwijl zij dan weer bij haar oudje kan blijven. Ze belooft het hem.
In zijn andere voorstel om 's nachts in hun huis te komen slapen, stemmen zij en moeder niet in. Er is bovendien geen bed over, en zijn plan om dan maar in de leunstoel te liggen is voor één nacht misschien wel te doen, maar wie weet hoelang het duurt eer moeder het tijdelijke met het eeuwige zal verwisselen.
Dat blijkt veel sneller te zijn dan wie ook gedacht had. Op een dag geeft ze bij een flinke hoestbui zóveel bloed op, dat ze dezelfde avond nog overlijdt.
En dan lijkt alles in een stroomversnelling te gaan. De buren nemen Fleur de plicht van het aanzeggen en een graf delven naast dat van haar vader uit handen. Ze had het ook niet eens

gekund, zo versuft van verdriet is ze. Want daarna beseft ze, dat ze nu alleen op de wereld is. Nooit was een familielid van moeders of vaders kant op bezoek geweest en dus nu ook niet. Zij weet trouwens niet eens of ze nog wel familie heeft.
Maar op haar dertiende alleen in haar huisje blijven gaat ook niet. Ze mag bij Harm thuis komen, want daar luidt het motto: waar er zeven van de pot kunnen leven, zal er ook wel een achtste te voeden zijn.
Het is de pastoor, die op een dag met dé oplossing komt. Op een grote boerderij, een paar uur gaans van hier, ook in het zuiden van Brabant, zoekt men een meid, liefst eentje voor dag en nacht.
En na een ontroerend afscheid bij Harm thuis, waarbij Harms moeder haar ogen niet droog kan houden, volgt de gang naar Fleurs nieuwe onderkomen. De geit en de fox gaan naar Harm thuis, die kan ze niet meenemen. Harm belooft haar plechtig om voor haar huisje te zorgen, zolang dat nodig zal zijn. En als ze een vrije dag heeft, moet ze maar eens overkomen.

Daarom stapt Fleur deze zonnige herfstmorgen met een rieten koffertje met spullen richting de boerderij. Het is een fikse wandeling, maar met dit mooie weer is dat geen straf voor Fleur. Ze geniet van de kruidige geur van de herfst, van de prachtige lucht, en van het zonnetje dat haar begeleidt naar haar nieuwe onderkomen. Ze is erg nieuwsgierig hoe het daar zal zijn.
Als ze voor de grote oprijlaan staat, overziet ze het grote geheel. Op de pilaar staat in steen gegraveerd: 'Heidelust'. De naam heeft natuurlijk te maken met de heidevelden die hier niet ver vandaan liggen.
Met trage passen legt ze het laatste stukje naar de boerderij af. Nog voor ze de grote ijzeren poort door is, blaft en gromt een grote herdershond. Gelukkig ligt hij aan de ketting, bedenkt Fleur. Hij maakt dus iedereen erop attent dat er bezoek is. Ze ziet de zonnestralen vallen op de ijzeren letters tegen de voorgevel: Heidelust. Daarvoor staan drie grote lindebomen. Op het erf staat een machtige kastanjeboom, die al geel gekleurd is en

de eerste basten en kastanjes op het grote erf werpt.
Dan gaat plotseling de deur van de deel open en verschijnt een mooie vrouw op het erf. Zal dat de boerin zijn, of de eerste meid misschien? Ze schat de vrouw hooguit veertig en vindt haar eigenlijk helemaal geen boerin in figuur en houding, zoals Fleur zich haar nieuwe bazin had voorgesteld.
'Zo, daar hebben we zeker onze nieuwe dienstmeid. Nou, welkom op onze hoeve, hoor.' De boerin steekt Fleur hartelijk een hand toe. Fleur zet snel haar koffertje neer, geeft de boerin een hand en stelt zich voor. Dan wendt de vrouw zich tot de hond: 'Koest, Hector, goed volk, hoor.' Meteen is de herder stil en gaat voor het hok liggen.
'Kom verder,' noodt de vrouw. Best een aardig mens, bedenkt Fleur. Als ze de keuken binnenstapt, weet ze niet wat ze ziet. Allereerst valt haar het grote fornuis op, met een schouw van mooie blauwe tegeltjes. Ze ziet een grote porseleinkast en een tafel tegen het raam met aan de ene kant een bank en verder houten stoelen. Een zwarte poes ligt heerlijk in de zon op de bank. Naast het fornuis staat een leunstoel, en daaruit verrijst een man met een sigaar in de hand en een gouden ketting op z'n borst, die van een knoopsgat naar het vestzakje loopt. Met daarin ook een gouden horloge, weet ze. Dat is zeker de boer. Het is een wat dikke, gezette man, niks moois aan, bedenkt ze, in tegenstelling tot de boerin. In een flits schiet het door haar heen: ze heeft hem zeker om het geld getrouwd...
'Doe je jas uit en ga zitten, dan schenk ik je een kop koffie in,' zegt de vrouwe, nadat Fleur de boer begroet heeft. Nauwelijks zit ze of de deur gaat open en verschijnt er een wat oudere vrouw, ouder dan de boerin, met een tas vol spullen. 'Dat is Bets, onze eerste meid, Fleur, die zal je hier wel wegwijs maken.' Fleur staat op en geeft de ander een hand. Bepaald geen schoonheid, ziet ze.
Wat een verschillen hier, overdenkt Fleur. De boerin, die er waarachtig wezen mag en in haar ogen ook veel jonger is dan de boer, en dan die dikke papzak in de leunstoel.
'Een kop koffie zal er wel ingaan na zo'n lange trip,' klinkt het vriendelijk en de boerin pakt uit de prachtige kast met glazen

deurtjes een beker en schenkt daar koffie in, terwijl ze zegt: 'Suiker en melk staan op tafel, bedien jezelf maar, doe maar alsof je thuis bent.' Nou, thuis was er alleen geitenmelk geweest, en suiker kwam er al helemaal niet aan te pas.
Na de koffie wijst de vrouwe Fleur de slaapkamer en weer staat ze versteld. Ze krijgt geen kamer op de deel, nee, maar op de tweede verdieping van het huis. Op de eerste slapen zeker de ouders en de zoon, en zij daarboven. Een prachtige kamer met een mooie kast met grote spiegel, een ruim bed, een tafel met stoel en een commode met allerlei spullen erop: lampetkan en kom, kammenbakje en zeepbakje, handdoek en washandje. Fleur kijkt haar ogen uit.
De vrouwe ziet haar verbaasde gezicht en merkt op: 'Zo te zien is het naar je zin.' Fleur bekent nog nooit zo'n mooie slaapkamer gehad te hebben. De vrouwe knikt en bij de deur zegt ze: 'Als je uitgepakt hebt en je verfrist hebt, kom je maar naar de keuken, dan zullen de mannen er ook wel zijn om koffie te drinken.' Even kijkt Fleur uit de vensters. Het ene biedt uitzicht op de oprijlaan en in de verte op de kerktoren van het dorp. Het andere geeft zicht op de moes- en bloementuin. Dan besluit ze aan de slag te gaan.
Vlug pakt ze haar kleren uit. In de grote kast vallen haar stapeltje ondergoed en die paar jurkjes niet eens op. Als ze eens geld heeft, moet ze er toch eens wat kleding bij kopen. Haar manteltje, niet eens een behoorlijke wintermantel, hangt ze erbij. Een bont schort doet ze maar direct voor, want er zal dadelijk gewerkt moeten worden, dat beseft ze maar al te goed. Dan rept ze zich naar beneden en hoort mannenstemmen in de keuken. Nog wat schuchter opent ze de deur en ziet in de keuken drie mannen aan tafel zitten met de vrouwe.
'Kijk,' roept deze boven het rumoer uit, 'dat is nou onze nieuwe dienstmeid Fleur.' Fleur bedenkt dat ze de nieuwkomers ook een hand dient te geven. Ze begint bij de oudste knecht, die Mats blijkt te heten. De wat jongere knecht, hij lijkt iets ouder dan de boerin, met ravenzwart haar, niet onknap, heet Dirk en de jongste van de mannen blijkt de zoon te zijn van de familie, zijn naam is Bart. Een wat dikkere knaap, die vast wat meer op

zijn vader dan op zijn knappe moeder lijkt, gaat het door Fleur heen. De vrouwe schuift wat op, waardoor de poes uit het zonnetje moet, en Fleur gaat naast haar zitten.
'Als je nog koffie wilt, de kan staat op het fornuis en misschien kun je gelijk de anderen nog voorzien van een slok. Normaal doet Bets, onze eerste meid, dat, maar die is even achter,' verduidelijkt de boerin.
Fleur beseft dat ze het een stuk slechter had kunnen treffen, en vooral haar kamer is toch een juweeltje om zich in terug te trekken!
Als na de tweede kop koffie de jonge baas opstaat, volgt de rest en zo keert de rust weer in de keuken.
'Breng de afwas maar naar de bijkeuken, daar is de pomp en de goot ook,' merkt de boerin op. Fleur doet wat de vrouwe haar opdraagt. Ze ziet de keukendoeken op een schap liggen, Fleur telt er in de gauwigheid wel vijf of zes. Thuis hadden ze er maar twee gehad.
Jammer vindt ze wel dat ze 's avonds geen aanspraak zal hebben aan Bets. Ze zal het met de vrouwe moeten doen, en de baas en hun zoon en misschien de knecht.
Die Dirk had wel het hoogste woord gehad. De oude Mats en zelfs de jonge baas luisterden meer naar zijn betoog dan dat ze zelf spraken. Ze waren zeker bezig met het schoonmaken van de sloten, want Dirk had het over een oud ijzeren kistje gehad, dat hij ergens opgediept had, maar dat op slot bleek.
'Misschien wel een schat,' had de boerin lachend opgemerkt.
'Als dat zou kunnen, dan kon ik het hier mooi voor gezien houden.'
'Hoho,' had toen de zoon zijn mond opengedaan. 'Het is gevonden in onze sloot, dus is het van ons, nietwaar, moeder?'
'Ja, da's waar, maar Dirk heeft wel recht op vindersloon. Hoeveel dat is weet ik niet, maar daar komen we wel achter.'
'Reken je maar niet te gauw rijk,' had Mats tegen zijn buurman gezegd. 'Dadelijk zijn het schuldbrieven en mag jij ook een deel ophoesten.' De zoon vond dat zeker een goeie mop, want die sloeg zo hard met zijn grove hand op de houten tafel, dat de bekers er van rinkelden. 'Ho eens, denk aan het aardewerk,

zoonlief,' had zijn moeder geroepen.
Wat Bets betreft: hoewel de eerste indruk niet overliep van vriendelijkheid bij haar, blijkt ze nu toch mee te vallen. Ze is minder stuurs dan op het eerste gezicht lijkt en heeft zelfs een vriendelijk woordje over als Fleur vraagt of zij haar wegwijs wil maken in haar werk. Ze knikt en merkt op dat de bazin daarin natuurlijk het laatste woord heeft.
Terwijl Fleur met de vaat bezig is in de gootsteen, denkt ze terug aan wat ze gezien heeft toen ze aankwam, nog maar een paar uur geleden. De koeien in de weide, die nog met dit mooie najaarsweer buiten lopen, en die hun lome koppen even opgeheven hadden en wezenloos de indringster aangestaard hadden. De grote herdershond aan de ketting, die haar al in de gaten had gehad vóór zij de ijzeren openstaande poort door was en zijn longen uit zijn lijf geblaft had. De drie grote linden met hun al licht gekleurd blad, die aan de voorgevel van het gebouw stonden, terwijl op het erf een machtige kastanjeboom zijn eerste vruchten losliet en het erf bezaaide met schillen en kastanjes. Haar eerste indruk was zeker geen verkeerde.
Alleen kan ze er maar niet over uit dat die mooie vrouw zo'n vadsige, dikke boer getrouwd heeft. Misschien voor het geld. Dat vergoedde veel, zei men altijd.
Maar bij haar toch niet. Dan heeft ze liever de arme Harm. Heel even dwalen haar gedachten naar hem en haar huisje en natuurlijk naar haar moeder. Maar goed dat zoveel nieuwe indrukken hier haar nauwelijks de kans geven om na te denken over thuis.
Dat zal waarschijnlijk vanavond bij het naar bed gaan wel anders zijn. Dan zal ze in bed met haar gedachten teruggaan naar haar dorp, het huisje, moeder die er nu niet meer is, en naar haar vriend Harm.
Maar voorlopig houden andere, nieuwe besognes haar af van die mijmeringen. Want Bets vraagt of ze even zin heeft om de rest van de boerderij te zien, nu heeft ze er even tijd voor.
De koeienstal blijkt nog brandschoon. Driemaal gewit en de groep keurig schoon. Boven de deel, op de zolder die via een trap te bereiken is, is de slaapkamer van Dirk, de knecht. Bets

gaat 's avonds naar huis, evenals Mats, meestal na het pap eten. Er blijken wel veertien koeien te zijn. Mooier vindt Fleur de boxen met kalveren, waar de kleintjes algauw hun nieuwsgierige neusjes tegen haar hand drukken.
Hector blijft genoeglijk liggen in de zon. Hij doet even één oog open, ziet dat Bets erbij is en sluit het daarna weer prompt.
In de grote schuur blijken allerlei machines te staan. Ploegen, maaiers, een dorsmachine, zelfs een zaaimachine, en natuurlijk de platte wagens en zelfs een heuse mooie brik. Paardenstallen zijn er ook, Fleur telt er al drie en één stal blijkt leeg. Nog nooit heeft ze zo'n boerderij gezien. In hun dorp stond er in ieder geval geen, weet ze stellig.
De mooie moes- en bloementuin beziet ze nu van vlakbij. De dahlia's en asters staan in volle pracht. De paden zijn keurig afgezet met palmstruikjes, precies recht geknipt. Het blijkt dat de vrouwe zelf in de bloementuin de scepter zwaait. Zelfs een prieeltje staat op het einde van de tuin.
Het is voor Fleur allemaal te veel om te bevatten en Bets lacht dan ook om haar gezicht, dat steeds van de ene in de andere verbazing valt.
'En nu gaan we naar ons domein, de keuken, want de mannen zullen om twaalf uur aan de tafel zitten en warm eten wensen, meidje.'
Fleur knikt begrijpend, nog vol van alle indrukken in zo'n korte tijd.
Haar gedachten aan thuis zijn voorlopig naar de achtergrond. Maar dat zal vanavond in bed wel anders zijn...

HOOFDSTUK 3

Fleur schrikt op uit haar slaap omdat haar naam geroepen wordt. Bets vraagt of ze wakker is, omdat het halfzeven is en tijd om op te staan. Eigenlijk is Fleur amper uitgeslapen, omdat ze die eerste nacht moeite had om in te slapen. Al die nieuwe dingen, een ander bed dan waar ze zo vertrouwd mee was, en natuurlijk nog het verdriet om het heengaan van haar moeke, hadden haar lange tijd uit de slaap gehouden. Uiteindelijk was ze toch ingedommeld, nadat ze de grote staande klok in de goeie kamer drie slagen had horen slaan. Geen wonder dus dat ze er moeilijk uit kan komen. Maar als Bets voor de tweede keer, nu wat krachtiger, haar naam roept en tegen haar slaapkamerdeur klopt, laat ze weten wakker te zijn. Ze hoort de ander de trap af gaan en slaat de dekens terug. Uit de lampetkan schudt ze een scheut water in de kom, daarna wast ze zich met zeep, die ook nog eens fijn ruikt. Thuis hadden ze een stuk Sunlightzeep, verder geen poespas, bedenkt ze. Hier doet het allemaal toch wel weelderig aan.
Ze haalt de grote kam enkele malen door haar lange, golvende haar, bindt met een fleurige strik een staart bijeen, schiet haar jurk, kousen en schort aan, stapt in haar oude schoenen en daalt eveneens de trap af. Zouden de boer en de vrouwe ook al op zijn, vraagt ze zich af als ze op hun overloop belandt. En Bart?
In de keuken blijkt echter alleen Bets te zijn, die bezig is het fornuis op te stoken en water voor de koffie in een grote ketel te vullen. Op haar 'morge, Bets' klinkt een wat onherkenbaar gebrom. Zeker geen ochtendmens, denkt Fleur, dan haar maar stilletjes haar gang laten gaan.
Dan klinkt plotseling duidelijker haar stem: 'Je mag de tafel voor het brood vast dekken en boterhammen smeren. Wacht, ik zal het even voordoen.' Bets neemt uit de kast een witbrood, maakt met de punt van het mes een kruisje over het brood en zet de mik tegen haar volle boezem. Dan snijdt ze een paar sneden tot de helft, draait het brood nu om en doet de andere halve sneden eraf. Fleur kijkt bewonderend toe met welk een gemak ze dat doet.

'Zo, en snijd zo het brood maar op,' zegt Bets, en mes en brood worden Fleur in de handen geduwd.
'Helemaal op?' vraagt Fleur verbijsterd. Thuis deden ze daar de hele week mee.
'Ja, wat dacht je dan?' klinkt het. 'Misschien is het nog niet genoeg ook. Wacht maar tot de mannen van het melken terugkomen, dan moet je eens zien hoe het brood slinkt.' Stuntelig probeert Fleur Bets na te doen, maar bij haar ontbreekt een weelderige boezem, waardoor de mik weinig steun vindt. Pas de laatste tijd worden haar borsten wat groter, maar die staan in geen enkele verhouding tot die van Bets. Ook zijn de sneden lang niet allemaal even dik, maar als Bets er een blik op werpt, zegt ze er niets over.
Als Fleur klaar is met snijden, legt ze alles op de grote tafel. Daar heeft de ander al worst, ham, spek en kaas op gezet. De ogen van Fleur worden bij elk artikel groter en groter. Allemachtig, bij hen was er alleen reuzel thuis en soms eigengemaakte jam, maar het lijkt hier wel een uitstalling, als in een etalage. Bets merkt haar verwonderde blik zeker op, want ze rebbelt: 'Ja, wie werkt moet goed eten! Smeer de boterhammen maar met flink wat boter en dan een paar plakken ham of worst of kaas erop en dan de andere snee ertegenaan, en leg dat maar op stapeltjes midden op de tafel.' Als ze de boter er zeker te dun op smeert, herhaalt Bets dat het er heus flink dik op moet, anders hoor je dadelijk de mannen brommen. Zelf is ze de koffie aan het opschenken in een grote emaillen koffiekan.
Tjongetjonge, denkt Fleur, het kan hier schijnbaar niet op. Wat was het dan toch behelpen thuis en op de meeste plaatsen in hun dorp, zeker bij de keuterboerderijen.
De mannen in de weide hebben geen van allen weet van die overpeinzingen van Fleur. Zij zijn al om zes uur naar de wei gelopen, waarin de koeien staan. Met een ijzeren handkar met vier tuiten en emmers en enkele driepoten om op te zitten, lopen ze in de kilte naar de wei, zo'n honderd meter van het erf af.
Mistflarden trekken over de velden en weiden. Alleen een stel

koeienpoten kunnen ze herkennen, als ze in de bewuste wei aankomen. De nevel bedekt de logge lijven van de roodbonten. Een koddig gezicht, ware het niet dat het kil aandoet in die mist. Zwijgzaam zet eenieder zich bij een koe, plaatst de driepoot onder zich en de emmer vóór zich en trekt behendig aan de spenen, waardoor een schuimend wit vocht met een straal in de emmer neerdaalt.
Gesproken wordt er nauwelijks, hooguit valt er een krachtterm als een of andere koe niet wenst stil te staan of haar staart toevallig in het gezicht van de melker zwiept. Maar allen zitten met de pet op, dicht met hun hoofd tegen het warme koeienlijf, om zo de kilte te bestrijden.
Na dik anderhalf uur zijn alle koeien verlost van hun overvolle uiers en lopen Mats en Bart met lege emmers en de driepoten richting de boerderij, terwijl Dirk de volle kar de oprijlaan door trekt, richting de verharde weg, want daar komt straks kar en paard van de melkfabriek hun kostbaar goedje ophalen. Vanmiddag brengt hij de lege tuiten weer daar terug.
Als de mannen in de bijkeuken even hun handen gewassen hebben, stappen ze de warme, gezellige keuken binnen. Ieder heeft schijnbaar een eigen vaste plek, want ze gaan op dezelfde plaats als gisteren zitten, ziet Fleur.
'Morge, schoonheden,' grijnst Dirk. Het doet Fleur blozen en ontlokt Bets een vinnige opmerking. 'Hou je geintjes maar voor je, die kennen we wel,' klinkt het bits.
Fleur zegt: 'Morge, mannen, koud zeker, hè, met die mist.'
'Precies, Fleur,' zegt Bart, die als eerste naar de stapel boterhammen grist, gevolgd door de twee anderen. Mats zegt niets, hij is zeker niet zo'n prater. Dan worden de petten van de hoofden genomen en slaat ieder een kruis. 'Smakelijk,' zegt Dirk en neemt een flinke hap uit zijn boterham.
Bets heeft ondertussen de bekers met gloeiend hete koffie gevuld en schuift die de mannen toe. Suiker en melk doet ieder naar eigen believen erin. Mats niets, ziet ze. Dirk alleen melk en Bart zowel melk als suiker, en niet zo'n beetje ook. Pas als ook Bets gaat zitten en een boterham van de stapel pakt, durft Fleur ook een snee te nemen. Met ham, hoe lang is het geleden dat ze

dat geproefd heeft? Ze weet het niet meer.
Duidelijk is dat de koffie erg warm is, want ze hoort het drietal slurpend het hete vocht tot zich nemen, en er is niemand die zich daaraan stoort. Zelf heeft ze er een flinke scheut melk en een schep suiker in gedaan, toen ze Bart dat ook zag doen. En ook daar stoort niemand zich aan. Ze ziet hoe de stapel brood zienderogen slinkt. Ze komen nu aan de sneden die Fleur verzorgd heeft.
Ze ziet Dirk naar zijn zoveelste snee kijken, die wel héél dik is uitgevallen. Prompt volgt ook zijn commentaar. 'Deze heb jij zeker gesneden, Fleur. Wat dacht je, die heeft toch een grote mond, daar hoort een behoorlijke joekel van een snee in om hem stil te krijgen?' En lachend opent hij overdreven zijn mond en tast toe.
'Je hebt het al gauw door hier, Fleur,' merkt Bart grinnikend op. Fleur kleurt, ze moet echt nog wennen aan die mannen. Zoiets kwam thuis niet ter sprake. Dan gaat de gangdeur open en verschijnt de boer.
'Morge saam,' klinkt het vriendelijk. De een na de ander bromt wat terug. Alleen Fleurs heldere stem met 'Morge, baas' klinkt duidelijk. Het levert haar een warme blik op. Dan gaat ook hij op zijn plaats aan het hoofdeinde van de tafel zitten en krijgt hij van Bets zijn beker koffie.
Even is alleen wat geslurp en licht gesmak hoorbaar. Dan vraagt de boer aan Mats: 'Wat denk je, Mats, moeten de koeien de stal op, of kan het nog effe?'
Mats denkt na, kauwt dan zijn boterham weg en spoelt die met een slok koffie door. 'Tja, baas, eigenlijk, als de mist is opgetrokken, wordt het best aardig weer en gras is er zeker nog voldoende in die wei. Ik zou zeggen, eind van de week misschien... of het weer moet eerder omslaan natuurlijk.'
De baas knikt en antwoordt: 'Goed, laten we zeggen vrijdag dan, dat is voor jullie wat prettiger melken in het weekend, en hooi is er voldoende door de goede oogst van deze zomer.' Drie mannenhoofden knikken instemmend.
Weer gaat de gangdeur open en nu verschijnt de boerin. Hetzelfde tafereel volgt. 'Morge saam,' klinkt het. Weer een

gebrom en wéér alleen de sonore stem van Fleur, wat haar prompt een glimlach oplevert.
Als de laatste boterhammen van de tafel verdwenen zijn, constateert Fleur met schrik dat de boer en boerin nog niets anders gehad hebben dan koffie.
Ze wil opstaan, maar Bets is haar voor, want die neemt uit de kast een nieuw brood, maakt weer een kruisje en snijdt vier, vijf plakken af en legt die op tafel. Of dit het teken is dat de mannen weer aan het werk moeten of dat het toeval is, weet Fleur niet, maar ze ziet hen een kruis slaan, hun petten weer op hun hoofd plaatsen en met een 'Tot straks' de keuken verlaten. De vrouwe richt zich nu tot Fleur. 'En... heb je wat kunnen slapen in je nieuwe omgeving, meidje?' klinkt het vriendelijk. Fleur hapert, dan stamelt ze: 'Nou ja... eh... niet direct... ik...' De boerin, die naast haar zit, legt een hand op haar arm. 'Héél begrijpelijk toch... maar dat komt wel en vanmiddag na de warme maaltijd ga je maar een uurtje rusten, hoor, dat doen we allemaal, ieder op zijn of haar manier.'
Fleur kijkt de bazin met een warme blik aan. Deze knipoogt haar toe. Wat heeft ze het toch getroffen, schiet het door haar heen. En daar was ze nu zo bang voor geweest! Ze had allerlei verhalen over bazige boeren en boerinnen vernomen, zodat de moed haar al haast in de schoenen was gezonken. Maar daar is hier geen sprake van. Alleen Bets heeft haar nukken af en toe. Nu blijken de boer en boerin zelf hun boterham te smeren en kiezen als beleg zeker datgene wat ze het liefste hebben. Bets is opgestaan en met een hoofdknik naar Fleur beduidt ze dat het stel zeker gewend is alleen het ontbijt te nuttigen.
Dan klinkt de stem van de vrouwe. 'Fleur, loop jij vandaag maar met Bets mee, die zal je wel het een en ander wijzen en opdragen wat daarvan jouw taken worden hier in de toekomst.' Fleur knikt en neemt net als Bets wat spullen van de mannen van tafel en gaat naar de bijkeuken voor de afwas. Dat heeft ze gisteren al gedaan en ze weet daarmee dus van wanten.
Daarna neemt Bets haar mee naar boven. Ze opent de slaapkamer van de boer en boerin. Even blijft Fleur verwonderd staan. Wat een bed en kasten en commode! Prachtig uitgestoken

eiken taferelen bevinden zich op het voeteneinde van het bed en op de kasten, zelfs de commode heeft houtsnijwerk. Bets zegt met de rug naar haar toe: 'Het opmaken van de bedden van de baas en Bart doe ik, maar jij moet elke kamer van hen tweemaal per week poetsen en stof afnemen. Hier staan spullen daarvoor,' en terug op de overloop opent ze een kastdeur, waarin allerlei schoonmaakartikelen staan, ziet Fleur. 'Jij moet je eigen kamer doen en Dirk, de knecht, ook, alleen als het een te grote troep wordt daar, mest ik of jij eens zijn hok uit. Begrepen?'
Fleur knikt. Even later gaan ze naar beneden en dan neemt Bets een paar hompen oud brood en de melkkan. 'Op naar Hector,' klinkt het. Buiten trekt Hector uit alle macht aan zijn ketting als hij hen ziet. 'Hier, doe maar in zijn bak, brood en een flinke scheut melk.' Fleur aarzelt, het beest gaat zó tekeer. 'Koest, Hector,' bitst Bets en het dier houdt plots zijn gemak. 'Dus niet bang zijn, gewoon laten merken dat jij de baas bent. Toe maar.' En waarachtig, de hond staat even stil, maar nauwelijks heeft Fleur de boel in zijn bak gedaan of hij valt gulzig aan, alsof hij al een week niets eetbaars meer gezien heeft.
'Dat gaat altijd zo,' verduidelijkt Bets haar. 'Op naar de kippen, dat wordt ook jouw werk.' Door een poortje gaan ze de boomgaard in en daar ontdekt Fleur loslopende kippen, die echter nu rap maken dat ze de kooi in gaan. Bets opent de deur en schept uit een grote ton met deksel een bak meel en strooit die in een lange, smalle houten voederbak. De witte leghorns verdringen zich om een goed plekje te krijgen, maar als de haan toetreedt, maken een paar ruim baan. 'Je ziet wel wie de baas is hier,' zegt Bets en zowaar ontdekt Fleur een flauwe lach rond de mond van de eerste meid.
'Kijk ook af en toe in hun drinkbak of er genoeg water is, anders bijvullen natuurlijk,' legt Bets uit, en zich bukkend naar de leghokken gaat ze verder: 'Natuurlijk even de eieren uithalen.' Bets doet ze in een emmer die in het hok staat en reikt ze Fleur aan.
''s Avonds na de broodmaaltijd strooi je een bak hard voer uit

deze ton door de kooi,' en Bets wijst met haar linkerhand een andere ton met deksel aan. Het is Fleur duidelijk.
Binnen zegt Bets: 'Ook wordt het jouw taak om voor de paar varkens die we hebben, wat voer te koken in de bruspot,' en ze wijst naar een grote grijze pot met een koperen ketel erin. 'Eens per week, meestal vrijdags, gooi je een aantal emmers water erin en stookt met een schans, die achter de schuur ligt, de boel warm. Hier in deze ton doen we afval van brood en groente, die kieper je erin en dan nog drie scheppen uit die meelton, laat dan de boel goed gaar koken en daarna schep je het in die bankmolen en maal je de boel fijn. Daaronder valt het voer dan in die grote bak. Bart zorgt wel dat het bij de varkens komt. Vrijdag help ik je één keer, daarna weet je het wel, vermoed ik.'
Fleur zucht en zegt: 'Ik hoop het.' De ander doet alsof ze het niet gehoord heeft.
Binnen ziet Fleur dat de anderen de maaltijd gestaakt hebben en de vrouwe zowaar zelf aan het opruimen is. 'Zet die bekers maar in de gootsteen, was die vanmiddag met de rest maar af, hoor,' zegt ze tegen Fleur en reikt haar het aardewerk aan. Fleur brengt de vaat naar de gootsteen. Als ze terugkomt ziet ze Bets en de vrouwe overleggen wat er die middag gegeten wordt.
'Bets zorgt met mij voor de warme maaltijd, Fleur, misschien kun jij de aardappelen schillen, en soms de groente schoonmaken, als we dat vragen. Ik loop even met je mee, en laat je zien waar je de aardappelen kunt vinden. Je mag dat bij goed weer gerust buiten doen op de bank, en anders in de keuken. De schillen gaan in de ton, bij de bruspot.' Fleur knikt, dat had ze al gezien.
Buiten blijft Hector nu rustig liggen. Het went zeker al, denkt Fleur. De boerin loopt naar de schuur en wijst haar de berg aardappelen, gelegen op een dikke laag stro. 'Deze mand doe je vol, want het zijn flinke eters hier,' lacht ze haar tanden bloot. 'Wat over is bakken we vanavond op, bij het brood.'
Fleur laadt de mand vol en gaat naar buiten. Ze zet de mand op de bank, want de zon schijnt er precies op. 'Je gaat dus buiten

schillen, groot gelijk. Geniet maar van die zonnestralen, je mag best nog een kleurtje krijgen jij,' zegt de boerin, en speels tikt ze met haar hand tegen Fleurs wang, die gelijk weer bloost.
'Ik breng je wel even het aardappelschilmesje,' zegt de vrouwe.
Fleur neemt plaats. Wat een mooi uitzicht, nu de mist is opgetrokken. En je kunt hier ook ver kijken, de schuur staat net niet in de weg.
De boerin komt terug en tot schrik van Fleur gaat ze naast haar zitten. 'Nou ben ik even benieuwd of het je hier wel bevalt,' zegt ze goedig en een paar mooie, donkere ogen kijken de blauwe kijkers van Fleur aan. Wat is het toch een mooie vrouw, gaat het weer door Fleur heen. 'Nou?' vraagt de boerin nog eens lachend, als Fleur niet direct reageert.
'Tja, vrouwe... Het is allemaal zo nieuw en zo groot. Wij hadden enkel een huisje zo groot als uw keuken en bijkeuken, en hier...' Fleur kijkt om zich heen, alsof ze het niet allemaal bevatten kan. Moederlijk legt de vrouwe een hand op haar arm.
'Begrijpelijk, kind, maar dat went vlug. Belangrijker is of je je hier denkt thuis te kunnen voelen.'
Fleur knikt heftig. 'Oh ja! Ik ben graag hier en u bent ook zo aardig voor me en dat helpt.'
'Kijk eens aan,' zegt de ander, 'dat is dan mooi meegenomen. Enne... als er eens wat is, kom het me gerust zeggen, we lossen dat dan saampjes op, desnoods zonder dat mijn man het weet. Afgesproken?'
'Ja graag, vrouwe,' zegt Fleur nu onbeschroomd.
Dan knijpt de boerin haar in de arm waar haar hand op lag, staat op en verdwijnt naar binnen.
Gut, denkt Fleur, ze is helemaal geen verwaand persoon, terwijl ze toch zo mooi is. Ook is ze helemaal geen echte bazin, zo één die commandeert en snauwt, zoals ze in de verhalen van anderen wel eens gehoord heeft. En met de handen in de mand, het mesje nog werkeloos op de aardappelen, overdenkt ze dat ze het buitengewoon getroffen heeft.
Pas als de deur weer opengaat, schrikt ze op als de boer het erf betreedt. Met een hoogrode kleur neemt ze het mesje en begint te schillen of haar leven ervan afhangt. Maar de boer zegt niets

en gaat de schuur binnen, waar ze aan het hinniken van de paarden hoort dat die hem duidelijk herkennen.
Nee… ze zal het wel klaren hier, daar is ze van overtuigd.

HOOFDSTUK 4

Het blaffen van Hector doet Fleur opkijken. Ze rust even met haar handen in de aardappelmand en kijkt om zich heen. Wat kan Hector nou gezien hebben? Zij ziet niemand op het erf. Dan, als zij in de richting van de oprijlaan kijkt, ziet ze de veroorzaker van het aanslaan van Hector. Een bakfiets, voort getrapt door een jongeman, komt haar kant uit. Op het erf blijft hij plotseling verrast stilstaan. Enkele ogenblikken kijkt hij gebiologeerd haar kant uit.
Het lijkt alsof de jongen een van de zeven wereldwonderen aanschouwt, want hij komt niet van zijn gevaarte af. Pas als Fleur 'Koest Hector, goed volk' roept en de hond zowaar gehoorzaamt, klimt hij van zijn vehikel en komt met grote ogen haar kant uit. 'Zo,' hervindt hij zich, 'dat is nog eens een verrassing.'
Fleur, die niet goed weet wat hij bedoelt, ziet een aardige, blonde jongeman met blauwe heldere kijkers op haar af komen.
'Nieuw hier, zeker,' vervolgt hij nu iets brutaler.
'Ja.' Fleur zegt het wat timide, dadelijk komt de boer of de vrouwe buiten en wat zullen die dan zeggen als zij zomaar met een vreemde staat te kletsen in plaats van door te werken. Maar de ander gaat vrolijk verder.
'Nou, mijn naam is Gijs, ik ben bakkersknecht. Maar dat had je al door zeker.' En lachend knikt hij naar de kar, waar in grote letters op geschilderd staat: 'Bakkerij Loonen'. Fleur knikt, beseft dan dat de vriendelijke gast toch wel meer zal willen horen.
'Ja, ik ben de nieuwe dienstmeid, ik heet Fleur, ik ben pas begonnen, vandaar.'
'Zozo...' Zachtjes fluit Gijs tussen zijn tanden. Wat een schoonheid! Helemaal geen boerendochter, waar hij meestal mee van doen krijgt als hij zijn ronde doet, bedenkt hij. Hier is dat veelal die ouwe taart Bets, zoals Gijs de eerste meid wat onheus betitelt.
En dan gebeurt wat Fleur al gevreesd had, de deeldeur gaat open en in de opening verschijnt de boerin. Nou zul je het hebben!

'Kijk aan! Dacht ik het niet... Het bakkertje heeft onze nieuwe meid ontdekt en vindt het niet meer de moeite waard om verder te komen.'
Fleur hervat snel met een rood hoofd haar bezigheid. Dacht de vrouwe het niet? Maar zij kon er echt niks aan doen, het was Gijs die...
Maar dan hoort ze de jongeman zeggen: 'Precies, vrouw Wolters, ik denk niet dat ik de route verder afmaak, maar dat ik uw nieuwe aanwinst eens gezelschap hou.'
Fleur kijkt beschaamd met een vuurrood hoofd naar haar bezige handen. Die Gijs durft... Nou zal de boerin hem wel van katoen geven! Maar nee... Hoor nu eens wat ze zegt: 'En jij denkt dat je ouwe daarmee instemt? Maar begrijpen kan ik je wel, hoor. Alleen... nu liggen Bets en ik er zeker uit bij je?' En als Fleur opkijkt, ziet ze een lachende boerin voor Gijs. 'Nou, om eerlijk te zijn, vrouwe... ja, dit past toch véél beter bij mijn leeftijd, nietwaar?'
'Jaja, ik hoor het wel, maar ik waarschuw je, knaap... Je laat onze Fleur voorlopig met rust,' antwoordt de boerin, maar ze zegt het met zo'n lach dat Fleur niet goed weet of dat nou wel zo ernstig bedoeld was. Blijkbaar kan de knecht wel een potje breken bij de vrouwe, want ze gaan zó amicaal met elkaar om, alsof het haar eigen zoon betreft.
'Nu... kom verder en hou Fleur niet langer van haar werk, dan gaan we Bets vragen wat we nodig hebben.' En de boerin draait zich naar de deur. Achter haar rug maakt Gijs een verontschuldigend gebaar, zo van: helaas, nou moet ik wel mee.
Fleur kan een glimlach niet onderdrukken en kijkt het stel na. Toch wel een leuke knul, héél anders dan Harm, maar ach, wat heeft ze nu aan jongelui gezien in haar leven, daar thuis achter op de hei? Maar vrij is hij wel, zij zou zo nooit durven praten met de boerin.
Wat Fleur niet weet, is dat de boerin oog heeft voor mannelijk schoon, zelf ook goed weet dat ze er mag zijn en daarmee ook soms een man het hoofd op hol brengt, tenminste als niemand anders haar kan zien of horen. Gijs behoort ook tot haar favorieten om eens af en toe een geintje mee uit te halen. En Gijs

speelt haar spelletje wel mee, hij is een open knul, houdt zelf ook van een grapje en is waarachtig niet op zijn mond gevallen, maar dat had Fleur al bemerkt.
Het duurt een tijdje voor hij weer naar buiten komt en zegt: 'Nou, Fleur, eerlijk gezegd had ik liever naast jou gezeten, maar ja, het werk gaat voor, hè,' en hij opent zijn kar, haalt er een aantal witbroden en een paar roggebroden uit en met de armen vol schiet hij met een knipoogje naar haar weer de deel op.
Nu is hij sneller terug. Hij gaat zonder aan Fleur toestemming te vragen naast haar op de bank zitten. Dan merkt hij op: 'Dat doe je helemaal verkeerd, Fleur.' Fleur kijkt hem verbaasd aan. De boerin heeft niets over het schillen opgemerkt en wat zou ze dan nu ineens verkeerd doen? Even houdt ze de handen stil. Ze trekt haar mooie wenkbrauwen op en vraagt hem: 'Wat doe ik dan verkeerd?'
'Nou,' gaat de ander serieus verder, 'dat moet jij niet doen, dat moet je láten doen!' en een olijke schittering blinkt uit zijn mooie blauwe ogen.
Even moet Fleur daarover nadenken. Dan schiet ze in de lach. Die Gijs toch... 'Ja, je bent me er eentje,' zegt ze dan, en haar verlegenheid van zich af werpend, gaat ze dapper verder: 'Nou, hier dan,' en ze plant pardoes haar mand en mesje op zijn schoot.
'Die zit...,' bekent Gijs eerlijk en hij begint meteen een aardappel te villen. Hij zorgt er echter wel voor dat er van de aardappel niet veel overblijft, zodat Fleur al snel zegt dat hij dát helemaal verkeerd doet. Ze grist de mand weer terug op haar schoot.
Dan gaat de deeldeur open en stapt Bets het erf op. Na een paar passen stopt ze en draait zich om naar de bank. 'Hé bakker, moet jij niet verder in plaats van onze meid van het werk te houden?' Aan de toon horen beiden dat het gemeend is wat ze zegt.
Maar Gijs kent haar zeker, want die antwoordt rustig: 'Och, Bets toch, ik behoor me toch netjes aan jullie nieuwe hulp voor te stellen en dan past het toch niet om meteen de kuierlatten te nemen?'

'Jaja... Om smoesjes zit jij nooit verlegen,' reageert Bets, en dan vervolgt ze haar weg naar de schuur.
'Die ouwe taart,' fluistert Gijs in haar oor. 'Zelden krijg je die aan het lachen. Nee, dan de boerin, die is wel in voor een geintje, hoor.' Fleur knikt maar eens, ze neemt geen stelling, hoe kan ze dat ook na zo'n korte tijd hier.
Maar voor Bets terugkomt uit de schuur staat Gijs op van de bank. Hij speelt de bedroefde jongeling en zegt met treurige stem: 'Nou, Fleur, ik zou liever vandaag jou gezelschap houden, maar de plicht roept, helaas...' Dan vervolgt hij wat opgewekter: 'Maar eet ze hier maar de oren van het hoofd, des te eerder kom ik weer terug.'
Fleur kijkt op en ziet olijke oogjes, met mooi blond krullend haar rond een gebruind hoofd. Bets komt uit de schuur met wat kool en zegt terwijl ze doorloopt: 'Nou, bakker, nog niet weg?'
'Nee,' dient de ander haar van repliek. 'Ik had even op jou gewacht. Ik kan toch niet weggaan zonder jou gedag te zeggen, dat zou niet netjes zijn, hè?'
'Och jong...,' bromt Bets en beent de deel op. Hoofdschuddend kijkt Gijs met een lachend gezicht de meid na. Dan loopt hij terug naar zijn bakfiets, draait zich nog even naar Fleur en zegt: 'Nou Fleur, het was me een waar genoegen en denk eraan... veel brood eten!' Dan springt hij lachend op de bakfiets en met een armzwaai neemt hij afscheid van haar, terwijl Hector weer van zich laat horen.
'Koest Hector, goed volk,' zegt Fleur weer, en dit keer meent ze het ook nog wat ze zegt. Tjonge, wat een gast is die Gijs, misschien wel wat té vrij, maar ach wat weet zij nou van het volle leven. Thuis op de heide was het zo'n klein kringetje, dit hier is wel wat anders, beseft ze. En leuk toch, dat hij aandacht had voor haar. En de boerin... Wat zei Gijs ook alweer? O ja... die hield wel van een geintje, zij mocht dat wel. Nou, Fleur kon zich dat wel voorstellen bij zo'n man als de boer, waar echt niets moois aan te ontdekken viel en die ook niet zo geinig uit de hoek kon komen als die Gijs.
Dan buigt ze zich weer over haar werk en plonst de ene na de

andere geschilde aardappel in de emmer naast haar.
Net tegen koffietijd heeft ze de klus geklaard. Ze bergt de schillen op bij de bruspot en loopt met de emmer naar de keuken. Daar ruikt ze de heerlijke geur van versgezette koffie al. De emmer mag naar de bijkeuken, na de koffie gaan de vrouwe en Bets ermee aan de slag.
Nauwelijks zit Fleur op de bank of de boerin schuift naast haar en zegt: 'Nou, die Gijs had het wel te pakken van je, hoor!' Fleur kleurt weer. En de boerin vervolgt: 'Het is een aardige knul, hoor, altijd in voor een grapje. Ik mag dat wel en hij is ook nog eens de enige zoon van een goeie zaak in het dorp, wat dat aangaat...' Verder gaat ze niet, mede omdat haar man de keuken binnenkomt, maar het kleine kneepje in haar arm zegt Fleur genoeg.
Ook de zoon en de knechten komen nu de keuken in en gelijk is de stilte verbroken. Onder de koffie met een flinke snee peperkoek erbij – het had beter brood kunnen zijn, denkt Fleur aan de woorden van Gijs – vertelt Dirk dat het kistje geopend is en helaas nog geen stuiver bevatte. 'Dus daar gaat mijn droom,' is zijn constatering.
Na de koffie hoort Fleur van Bets dat ze de slaapkamers boven kan poetsen en stof afnemen, ze weet de spullen te staan, nietwaar? Fleur knikt en begeeft zich naar boven. Op de slaapkamer van Bart is het een troep, ziet ze. Vlug bergt ze wat kleren op en pakt uit de kast een mand voor het wasgoed. Omdat op de vloer zeil ligt, kan ze met een natte dweil de vloer reinigen. Met een doek neemt ze stof af, en zet dan een raam open omdat het hier wat bedompt is. Ook Bart heeft een mooie, ruime kamer en degelijk meubilair. Zijn kast is goed gevuld met mooie kleren, ziet ze wel. Ze hangt wat op een hanger, sluit dan de kastdeur en kijkt om zich heen. Het kan ermee door, vindt ze zelf.
Dan loopt ze naar de kamer van zijn ouders. Die kent ze al, maar toch blijft ze even staan als ze er weer binnenkomt. Gut, wat was het dan bij haar thuis maar een kale bedoening. Je zou zulke meubels wensen voor later in je goeie kamer, maar, beseft ze, dat zal voor haar wel nooit zijn weggelegd. Even ver-

schijnt Gijs voor haar geest. Een goeie zaak thuis, had de vrouwe gezegd... Ach, wat verbeeldt ze zich nu, en trouwens, had ze niet min of meer aan Harm beloofd zijn vriendin te wezen? Maar tussen Harm en Gijs ligt een wereld van verschil, dat wel. Kom... ze moet verder. En ook hier is wel niet zoveel te doen als bij de zoon, maar wat opruimen en stof afnemen en de vloer dweilen is wel nodig.
Bij het afstoffen ziet ze op een soort boekenplank wat boeken staan. Een boek lezen, nou dat lijkt haar heerlijk, maar ja, thuis hadden ze er geen en was er warempel wel wat anders te doen. Maar hier zou ze 's avonds na de laatste afwas er tijd voor hebben. Eens kijken wat dit voor boeken zijn. Deze met die mooie band, is wel een dik boek. Ze leest de titel: *Als dromen eens waar zouden zijn* van Jeroen Overwaag. Zeker een liefdesroman of zo. Ze bladert erdoor. Een boek zonder plaatjes. Dan valt haar blik op een onderstreepte regel. Wie zou er nou geschreven hebben in zo'n mooi boek? Ze leest: 'Is dit nou alles en je schepte zo op over je bedkwaliteiten! Nou, ik heb ze beter gehad, hoor. Hoepel maar op en kom nooit weer!'
Gut... Waar slaat dat nou weer op? vraagt ze zich af. Bedkwaliteiten... Nee, daar kan ze zich geen voorstelling bij maken. Terwijl ze het boek net terugzet en een ander neemt om af te stoffen, verschijnt de vrouwe op de kamer. Weer kleurt Fleur, maar goed dat ze niet aan het lezen was! De vrouwe zou wel denken dat ze niks anders te doen had. 'Kijkkijk, het ziet er keurig uit en ja, die boeken mogen wel eens afgestoft worden, daar zit zeker het stof duimendik op, hè?'
'Nou, dat valt wel mee, hoor. Maar wat hebt u er veel!'
'Nou, dit is maar een klein deel. Beneden in de goeie kamer staan er nog veel meer. Ik hou van lezen, maar de meeste heb ik uit. En jij, hou jij van lezen misschien?'
Fleur knikt. 'Ja vrouwe, maar we hadden geen boeken thuis en veel tijd had ik er niet voor. Moeder...'
De boerin knikt, ze kent Fleurs verhaal. 'Nou, kind, als je 's avonds wat lezen wilt, kijk maar eens in de goeie kamer, boeken genoeg. In bed lezen is ook zo heerlijk, vooral als de regen

tegen de ramen klettert en de wind om het gebouw giert van de winter.' Fleur knikt maar wat, ze heeft het nooit gekund, dus weet ze niet hoe dat voelt.
'Nou, je vraagt het vanavond maar, dan zoeken we samen een mooi boek uit. De meeste ken ik wel. Waar hou je van, een liefdesroman, of misschien een thriller?'
Fleur heeft geen flauw idee wat dat is.
'Of liever een streekroman, misschien?'
'Maakt niet zoveel uit, vrouwe, het is algauw goed.'
'Prima, we vinden wel wat,' zegt de vrouwe en daarmee verlaat ze haar slaapkamer.
Fleur stoft verder en leest nu de titels bewuster. *Als de liefde roept.* Nou, da's zeker een liefdesroman. En deze, dat is een dikke: *Vrijen...* Wat staat daar nou? *Vrijen is verrukkelijk.* Nieuwsgierig slaat ze het open. Hé, kijk, er staan allemaal prenten in.
Maar als ze goed kijkt, schiet het bloed naar haar hoofd. Een naakte man en vrouw hier tegen een boom geleund. Snel klapt ze het boek dicht. Goh, wat zou de vrouwe wel niet zeggen als ze haar zó gezien had. Maar het verbaasde haar dat ze hier ook zulke vieze boeken hebben. Zou de boerin dit ook gelezen hebben, of zijn het alleen maar plaatjes? Even nog bladert ze erdoor. Nee, er staan ook teksten in, ziet ze. Dan klapt ze het boek snel dicht en zet het terug op de plank.
Haar hoofd is vol gedachten. Hoe is het mogelijk dat zo'n werk hier zomaar open en bloot op de schap staat. Nauwelijks durft ze nog een boek te openen. Maar het volgende heeft wel een mooie band. Met sierlijke letters – in goud, lijkt het wel – staat erop: *Jules Verne.* Nee, daar heeft ze nog nooit van gehoord. Wel hevig interessant natuurlijk! En zo leest ze de ene na de andere titel en ontdekt dat de meeste geen plaatjes bevatten en dus zeker romans zijn.
Maar de rest zal ze de volgende keer wel afstoffen, want de boerin zal zich anders afvragen wat zij zo lang op hun slaapkamer doet. Ze haalt de stofdoek in ieder geval even over de bovenkant van de boeken, zet een raam open en klopt tevens haar stofdoek uit.

Ook aan deze kant heeft ze een blik op de bloementuin. Ze ziet vrouw Wolters in de tuin een boeket asters plukken. Waar zou die komen te staan? Hier op de slaapkamer misschien, of in de goeie kamer? Zij zou op haar kamer ook wel een vaas bloemen willen. Misschien staan er in de berm nog wat bloemen, dat mag vast wel, of mooi herfstblad. Vanmiddag als ze een uurtje vrij heeft zal ze eens kijken.
Dan rept ze zich naar haar kamertje, slaat het opengeslagen bed dicht, zet ook hier een raam open en gaat dan naar beneden.
Daar ruikt het heerlijk. Op het fornuis staat een grote pan soep, ziet ze. Bonensoep. En de pan met zuurkool lijkt nog veel groter. Bets draait speklappen om in een grote gietijzeren braadpan. Zo'n grote pan heeft ze nog nooit gezien!
Dan komt de boerin de keuken in met een bos asters. 'Oh, wat mooi,' ontvalt het Fleur. De boerin lacht. 'Hou je van bloemen, Fleur?' Deze knikt enkel. 'Ja, dat moet ook wel met zo'n naam, nietwaar?' En de boerin heeft weer die betoverende lach, ziet Fleur.
'Deze komt in de goeie kamer, want vanmiddag komt het dameskransje hier op visite en moet er wat op tafel staan, toch?' Fleur knikt maar weer. Visite en dat midden op de dag... Allemachtig, hebben die dames niks beters te doen dan? Maar haar gedachten worden verstoord als de vrouwe zegt: 'Als je van bloemen houdt, mag je best een bosje voor je kamer plukken in de tuin, hoor.'
Fleurs gezicht straalt. 'Echt, vrouwe?' vraagt ze met glinsterende ogen. 'Tuurlijk,' zegt de boerin alsof het de gewoonste zaak van de wereld is. 'Bets kun je niet blij maken met een bos, nietwaar, Bets?' Deze schudt haar hoofd, dat rood is van de warmte van het fornuis. Niet van bloemen houden past precies bij jou, denkt Fleur, maar ze waagt het niet om dat hardop uit te spreken.
Dan roept haar taak haar weer en mag ze de tafel dekken voor het middagmaal. Fleur denkt: Als het smaakt naar dat het ruikt hier, dan wordt het voor mij in ieder geval een feestmaal! Wat dat aangaat moet ze in Bets echt haar meerdere erkennen.

Och ja, wat zei moeder ook altijd: Ieder mens, kindje, heeft zijn goede en slechte kant, niemand uitgezonderd.
Precies! denkt Fleur en ze pakt het bestek uit de lade. Wat haar betreft kan het feest beginnen!

HOOFDSTUK 5

Als buiten lichte sneeuwvlokjes neerdwarrelen op de kale takken van de bomen en het zanderige erf van een dun wit laagje voorzien, is het wel duidelijk dat de winter zich gaat aandienen. Fleur beziet dit alles deze morgen als ze opstaat en door het raam een blik werpt naar buiten.
Het is wel mooi, die witte pracht, al geeft ze er nu minder om dan vroeger. Thuis betekende zoiets sneeuwruimen en een lange, moeilijke weg naar het dorp, want niemand bekommerde zich over hun achtergebied. Hier is dat anders. De harde weg wordt wel gebaand en het stukje oprijlaan zullen de knechten wel vrijmaken, bedenkt ze.
Ze is al weer een hele tijd hier en tot nog toe bevalt het haar prima.
De vrouwe is alleraardigst, zelfs Bets ziet in dat Fleur haar toch wel veel uit handen neemt, en alleen de boer is wat onverschillig in wat zij op zijn hoeve allemaal doet. Hij maakt er zich gemakkelijk van af, door te stellen dat dat de zaak van zijn vrouw is. Hij heeft zo zijn eigen besognes en die zijn talrijk. Naast de supervisie op het bedrijf is hij meer en meer doende met zijn wethouderschap, zijn functies in het kerkbestuur, de armenkas en de fanfare.
Het gevolg is dat hij menige avond weg is, en als zoon Bart ook nog twee avonden per week pleite is, één keer naar de cursus over land- en tuinbouw en de andere keer met vrienden de hort op, dan is ze vaak met de vrouwe alleen. Soms komt Dirk een kijkje nemen als Bets en Mats al naar huis zijn. Wel vindt Fleur het vreemd dat al tweemaal de boerin, als ze samen waren, tegen halfnegen al zei dat ze haar bed maar eens moest opzoeken, omdat zij er zelf ook vroeg in wilde. Nou, Fleur nam dan haar boek maar mee en las dan verder onder de wol.
Maar er zijn ook avonden om van te genieten. Als er geen verstel- of stopwerk is, mag ze ook lezen. Ze heeft zelf een boek mogen uitzoeken in de goeie kamer.
Momenteel heeft ze een liefdesroman: *Als het hart eens spreken kon*. Een jongeman is smoorverliefd op de dochter van de

dokter. Zij voelt ook veel voor de knappe jongeling, maar het probleem is dat hij een gewone fabrieksarbeider is en dat valt bij haar ouders niet in goede aarde. Stiekem ontmoeten zij elkaar na de repetitie van het koor, maar erg rooskleurig ziet het er voor het stel niet uit. Fleur heeft medelijden met het stel, vooral met de jongeman. Hij is avondcursussen aan het volgen, zodat hij misschien een betere baan op kantoor kan krijgen. Maar vooral de moeder van het meisje ziet het desondanks helemaal niet zitten. Zij zegt maar steeds: 'Gelijk goed, gelijk bloed, gelijke jaren, zijn de beste paren.' Maar Fleur is het daar helemaal niet mee eens. Waarom zouden die jongen en dat meisje niet gelukkig kunnen zijn met elkaar? Die doktersvrouw vergeet zelf zeker dat ze wel zeven jaar jonger is dan haar man. Zo leeft Fleur mee met de figuren uit haar boek.
Ook vindt Fleur het fijn om op dinsdagavond naar 'De bonte dinsdagavondtrein' te luisteren en naar het hoorspel dat ze van de vrouwe mag volgen. Thuis hadden ze geen radio. Alleen, overdag bij de land- en tuinbouwberichten moet iedereen stil zijn, dan willen de boer en de zoon, en zelfs de knechten, dat nieuws vernemen. Ook de nieuwsberichten beluistert iedereen, die volgens de boer steeds verontrustender worden. Ene Hitler schijnt in Duitsland de macht te krijgen en men is bang dat hij andere landen, zoals Frankrijk, Engeland en zelfs ons land wil inpalmen. Hij wil één groot Duits rijk, volgens de boer. Maar de boerin en Fleur vinden dat Duitsland ver weg is. Dus het zal wel zo'n vaart niet lopen, peinst ze.
Al met al heeft ze haar draai hier wel gevonden, en als Gijs van de bakker tweemaal per week langskomt is ze altijd blij hem weer te zien. Maar duidelijk is, dat het omgekeerde ook het geval is.
De slimmerik komt tegenwoordig voortaan tegen koffietijd en drinkt een slok mee. Zelfs heeft hij het zo gemanipuleerd met de boerin, dat hij dan naast Fleur op de bank kruipt. Soms voelt ze dan even zijn hand op de hare of een kneepje onder de tafel in haar bovenbeen. Alleen Dirk kan dan wat flauw en overdreven doen en er iets narrigs over zeggen.
Ze denkt dat hij wat jaloers is, want als ze hem toevallig op het

erf of in de schuur tegen het lijf loopt, probeert hij altijd met haar te stoeien, zogenaamd met een geintje, maar ze is daarvan helemaal niet gediend. Laatst nog kneep hij haar – per ongeluk, zei hij – bij een stoeipartij in haar borsten. Die overigens mooiere, flinke vormen krijgen. Zelf denkt ze dat dat van het goede eten komt, héél anders dan thuis.
Ze gooit haar nachthemd uit en gaat bijna naakt voor de grote kastdeurspiegel staan. Ze strijkt met haar handen van boven naar beneden, langs haar borsten en dijen. Kijk, ook die laatste krijgen wat rondere vormen. Maar ze ziet dat het alles in mooie harmonie blijft. Dijen, heup en borsten, echt een jonge vrouw wordt ze. Dat bleek trouwens de laatste maand wel, toen ze plotseling ongesteld was geworden. Hoewel moeder thuis ooit weleens iets in die richting gezegd had, was de echte reden nooit verteld. Het was de boerin die het ook opgevallen was en die haar behulpzaam was geweest. Verder had die blijkbaar begrepen dat ze nog weinig van wanten wist op dat gebied, ze was tenminste met een boek gekomen dat ze maar eens lezen moest. Dat doet ze in bed, want zo'n boek kun je slecht in de keuken open en bloot bij die mannen inkijken. Ze zou niet durven ook. De titel is: *Het opgroeiboek voor meisjes*, en bevat tekst maar ook tekeningen en foto's. Erg leerzaam, want hoewel ze nog niet zover is in het werk, veel dingen zijn haar nu duidelijker dan voorheen, al wist ze echt wel dat een kindje niet door de ooievaar gebracht werd en ook niet uit de boerenkool kwam. Als de stier hier naar een koe gaat – en dat heeft ze toevallig één keer gezien – begrijpt ze wel dat het bij een man en vrouw ook wel zoiets zal wezen, eer er een kindje verwekt kan worden. Angstig maakt het haar wel, want nu begrijpt ze beter waarom, als hun buurvrouw weer een kleintje kreeg, het andere grut soms wel een dag bij hen bivakkeerde.
Brrr... het is eigenlijk te koud zo naakt voor de spiegel te staan, dus schiet ze snel het een en ander aan, wast zich dan, haalt de kam door haar flinke haardos en gaat naar beneden, waar Bets al wel met het fornuis doende zal zijn.
Ze heeft het goed, het is zelfs al aardig warm in de keuken. Hè, heerlijk! Daarom komt er een monter 'Goeiemorgen, Bets' uit

haar mond. Bets staat met de rug naar haar toe gekeerd. Ze draait zich om en zegt veel minder monter: 'Nou, laat dat goeie er maar af, heb je al naar buiten gekeken?'
'Ja,' antwoordt Fleur stellig. 'Mooi hè, die sneeuwvlokken?'
'Ja,' klinkt het grommend, 'als je hier binnen zit en er niet door hoeft, maar ik...'
Fleur knikt. Bets moest erdoor natuurlijk. Gelukkig dat er nog geen heel pak ligt, maar dat kan vanavond als dat zo doorgaat weleens anders zijn.
Fleur dekt snel de tafel, straks komen de mannen. Zij hebben het nu ook een stuk makkelijker, zitten heerlijk warm op stal onder de koe, die zich ook behaaglijk voelen en minder sikkeneurig zijn bij het melken.
Welke dag is het eigenlijk vandaag? overweegt Fleur. Je raakt hier soms geheid de tel kwijt. Eens kijken... ja, vrijdag natuurlijk... Nou, dat treft, dan komt Gijs voor de bestelling. Of... denkt ze verschrikt, zou hij er wel dóór kunnen?
Snel werpt ze een blik door het raam. Het sneeuwt nog wel, maar niet zo hard als daarstraks, ziet ze. Misschien lukt het toch wel en wellicht is de harde weg al gebaand... Afwachten maar.
Ze hoort gestommel en weet dat het de mannen moeten zijn. Zij gaan eerst in het washok hun handen wassen en dan vallen ze hongerig binnen. Gelukkig heeft ze nu alles rondom het brood snijden veel beter onder controle. Ze vergeet tot woede van Bets weleens eerst een kruisje erover te maken, maar de sneden zijn bijna allemaal even dik, daarover krijgt ze geen commentaar meer. Ze hebben trouwens een paar weken geleden geslacht en dat waren even een paar hectische dagen. Ze heeft er wel veel van opgestoken. Darmen spoelen, worst draaien, zult koken van de resten vlees en de varkenskop, vlees inzouten in potten, maar het meeste ging toch in weckflessen. Dat smaakt lang niet zo zout, had Bets haar voorgehouden. Ook werd er balkenbrij gemaakt. Daar zat bloed bij, en Fleur was er in het begin niet zo weg van geweest, maar die met krenten erin lustte ze wel. En soms werden de kaantjes warm op roggebrood gedaan, met wat zout, heerlijk! Dat vonden de mannen

blijkbaar ook, want alles ging toen schoon op.
En nu hangen in de schouw hammen en worsten te drogen, die eerst in het dorp naar een rokerij zijn geweest. Daar stookte men eikenhout in een open vuur en dat droogde véél beter en gaf die extra lekkere smaak eraan.
Bart verschijnt als eerste in de keuken, snel gevolgd door de twee anderen. De petten gaan weer van hun hoofden af en na een kruisje doen ze zoals gewoonlijk de stapel boterhammen weer de nodige eer aan. Fleur weet ondertussen wel hoeveel ze er smeren moet, al waren het er tot voor kort een paar meer, toen de mannen nog de weide in moesten om de koeien te melken. Nu zijn een paar passen naar de stal al voldoende.
De hete koffie wordt zoals gewoonlijk met enige geluidjes naar binnen gewerkt, maar er is niemand die zich daaraan stoort. Gezegd wordt er de eerste minuten nauwelijks iets, dat wordt pas anders als de boer ten tonele verschijnt. Na het gebruikelijke gebrom met volle mond, dat het welkom van de mannen moet voorstellen, vraagt de boer aan de mannen of er al gebaand moet worden op de oprijlaan. Bart schudt zijn hoofd, Dirk haalt de schouders op en Mats is de enige die opmerkt dat, als het nog even blijft sneeuwen, er toch wel een laag ligt.
De boer zegt het dan nog even aan te zien en indien nodig moet Dirk met Mats de zwarte maar voor de arrenslee spannen en de twee houten schotten ervoor monteren, zodat de sneeuw naar de bermen van de weg geruimd wordt.
Een arrenslee! denkt Fleur verrukt. Tot nu toe heeft ze nergens in de schuur zoiets kunnen ontdekken, wel een brik. Aarzelend en zich meer tot Bart dan tot de anderen wendend, vraagt ze hem waar die arrenslee dan staat. Bart neemt net een slok hete koffie en verslikt zich zeker, want zijn hoofd loopt rood aan en hij moet moeite doen om het goedje niet weer terug te laten komen. 'Je houdt het wel droog, hè?' is al snel de opmerking van zijn buurman Dirk. Bart herstelt zich weer, knikt en zegt tegen Fleur: 'Achter de schuur, in een houten aanbouwtje staat de slee.' Hij wrijft zich met de palm van zijn hand de tranen uit de ogen, die als gevolg van zijn verslikking en zijn poging om de boel niet over de tafel te doen belanden, opkwamen. 'Ik zal

hem je dadelijk wel laten zien,' haakt Dirk er gretig op in en Fleur ziet al aan zijn ogen dat het dát niet alleen is. 'Nee, dank je, ik zie hem wel als jullie ermee aan het werk zijn,' is haar koele reactie. Duidelijk is, dat dat laatste Dirk niet zo zint.
Dan komt de boerin binnen. Na een groet en een wedergroet neemt ze naast Fleur plaats. Als Gijs straks bij de koffie komt, moet díe daar zitten, bedenkt Fleur. Maar het weer...
Vlug werpt ze een blik door het venster, maar ze ziet nog gestaag het witte spul neerdwarrelen. Eigenlijk wel mooi, alhoewel ze liever had gehad dat het vroor, dan kon je heerlijk schaatsen. Ze heeft al gehoord waar 's zomers in gezwommen en 's winters op geschaatst kan worden. Ze heeft het bosven zelfs al gezien, heerlijk ingesloten door rijen bomen en struiken, die de koude oostenwind in de winter wel breken zullen. Ze kan goed schaatsen, leerde het bij haar thuis op de sloot en de beek. Eerst had ze van die houten Friese doorlopers, daar kon je hard mee gaan, maar eigenlijk alleen rechtuit. Later had moeder eens houten zwaaiers meegebracht, de dochter van de mevrouw, waar ze wekelijks poetste, had kunstschaatsen gekregen en hoefde die onderbinders niet meer. Ze waren wel wat te groot geweest, maar ze had er aardig mee overweg gekund. Maar die liggen nog thuis, ergens op 't zoldertje.
Nou, als het gaat vriezen, gaat ze die wel halen. Hopelijk zullen ze nog passen, want ze realiseert zich dat ze intussen ook wel grotere voeten gekregen heeft.
Als het niet anders is, dan maar een paar nieuwe kopen. Sinds kort heeft de boerin beslist dat ze van haar jaarloon – driehonderd gulden plus kost en inwoning, voor een tweede meid op een hoeve een zéér behoorlijk loon – er elke maand alvast twintig krijgt. Dat wordt op het einde van het jaar, dat hier van mei tot mei loopt, wel verrekend. Dan kon ze wat ondergoed en kleren kopen, had de vrouwe gezegd, die wel ontdekt had dat het meisje nauwelijks iets in haar kleerkast had liggen.
Laatst is ze door de boerin meegenomen naar de dichtstbijzijnde stad en heeft ze van alles wat van haar geld aangeschaft: ondergoed, nachthemden, kousen, een mooi vest, een paar jurkjes èn een winterjas. Ja, en die laatste heeft de boerin haar

zomaar geschonken, want anders had ze die dure mantel nooit gekocht. Verleden zondag met die kou heeft ze die jas naar de kerk aangedaan. Ze had de blikken van de mensen in haar richting wel gezien. Zelfs Gijs had een gezicht getrokken en zijn hoofd geschud, zo van: zozo, doe maar duur... Maar hij had haar daarbij óók een knipoogje gegeven, alsof hij zeggen wilde: het staat je puik, hoor!
Jammer, dat de boer en boerin met de brik waren en zij dus mee moest gelijk na de mis. Maar straks...
Het opstaan van de mannen brengt haar weer terug bij de werkelijkheid. Ze zal de boel moeten afruimen en even voor de vrouwe en de boer wat klaar moeten zetten. Toch kijkt ze nog even door het raampje in de bijkeuken. Het lijkt wel harder te gaan sneeuwen. Dan zou Gijs wel eens véél later kunnen komen, als hij überhaupt wel komt, gaat het door haar heen.
Na de afwas en het voeren van de hond en de kippen, vult ze de bruspot met water en steekt het vuur aan. Fijn, Dirk of Mats heeft er al een schans bij gelegd, die er dadelijk in kan. Vandaag moet er varkensvoer gemaakt worden en dat is haar klus.
Zó, nu het vuur volop knettert, kan ze de schans er wel in stoppen en duurt het een hele tijd eer al het water aan de kook is. Intussen kan ze de slaapkamers doen. Bij Bart is het dezelfde troep als altijd. Bij zijn ouders valt het wel mee. De boerin heeft zeker de kleren van de baas zelf al opgeruimd. Maar er moet nieuw water in de lampetkan en het oude moet weggedaan worden. Dan even afstoffen. De boeken doet ze niet meer elke keer een voor een af. Iedere keer als ze bij het boek over 'verrukkelijk vrijen' komt, heeft ze toch de neiging er even in te kijken, naar de plaatjes, vooral nu ze uit haar boek van opgroeiende meisjes meer en meer begrijpt over het liefdesleven.
Wat zou het fijn zijn later een man te hebben die zo met je omging als de jongeling in haar liefdesroman. Héél zacht en teder bemint hij zijn geliefde. Ze voelt als het ware zijn kussen op haar, als hij zijn vriendin liefkoost. Ze wordt er dan helemaal warm van en droomt, alsof zij de uitverkorene is. Daar gaat het dus heel anders. Geen grijpgrage handen, die je wild en ruw

betasten, zoals Dirk bij haar soms flikt in zijn zogenaamde stoeipartijtjes.
Nee… zo'n minnaar als in het boek, dat lijkt haar heerlijk. Zou Gijs zo zijn, of zou die meer het onbehouwene van Harm en Dirk hebben? Da's waar ook, ze moet opschieten, dadelijk is het koffietijd en wil ze klaar zijn boven. Alhoewel… Ze kijkt uit het raam en ziet dat het toch nog sneeuwt. Goh, wat mooi hier vanaf boven. Alles rondom de hoeve is nu bedekt met een dikke laag maagdelijk wit.
Kijk… zelfs op de takken van de bomen hecht zich een dun laagje sneeuw, dat komt zeker doordat er weinig wind staat. En die dennenboom dan… Fleur slaakt even een kreet van ontroering. Trots, als een poortwachter, lijkt hij met zijn pracht een dominante positie op te eisen. En dáár dan… Hoe teder en schril steekt nu de hazelaar af tegen die den… enne… weg zijn de gekleurde winterasters, ze hebben allemaal eenzelfde witte tooi gekregen.
Een sprookje is het buiten, zeker als je het van bovenaf, zoals hier, bekijken kunt.
Zou de andere kant ook zo mooi zijn? Kijk eens wat een bedrijvigheid op het erf. Mats spant de zwarte voor een prachtig met geschilderde bloemen versierde slede. Tjonge, wat een mooi geval. Dáár zou ze wel een ritje mee willen maken. Zal ze het eens lief aan Dirk vragen? Dirk, schiet het weer door haar heen, nee, dat niet! Wie weet wat hij ervoor terugverlangt. Nee, Bart of Mats maar eens peilen, dat lijkt haar beter.
Kijk, nou komen die schotten er zeker voor, dat is slim. Toch even zien of het werkt. Ja hoor, Dirk klimt op de slee, hij klakt met zijn tong, tikt de zwarte op zijn rug met de zweep en deze zet dan aan. Als een kind klapt Fleur verrukt in haar handen als ze ziet hoe mooi de sneeuw naar de zijkanten van de oprijlaan in de berm geschoven wordt en er slechts een dun laagje op de kinderkopjes blijft liggen.
Nou, hier kan Gijs straks met de bakfiets wel overheen, bedenkt ze.
Dan wendt ze zich af van het panorama, schikt het een en ander aan het bed en gaat heel even naar haar eigen kamer. Daar is

niet veel te doen. Even water verversen, bed dichtgooien en klaar is Kees.
Dan hoort ze de zware klok in de goeie kamer slaan. Tien uur. Koffietijd. Snel rept ze zich naar beneden.
Wie weet, komt hij toch... en voor de spiegel in de gang strijkt ze nog even door haar blonde lokken.

HOOFDSTUK 6

Oorlog...!
Het leger van Hitler valt Polen binnen en zijn bedoelingen zijn duidelijk. Op de radio hoort eenieder op hoeve Heidelust dat het daar niet bij zal blijven. Frankrijk en België staan blijkbaar net als Nederland op zijn verlanglijstje en vooral Nederland moet de springplank worden naar het machtige Groot-Brittannië, kondigt de Führer aan in een donderend betoog voor zijn onderdanen.
Onschendbaar blijven, zoals in de Eerste Wereldoorlog, zal ditmaal waarschijnlijk niet lukken, dus de regering besluit halsoverkop defensieve maatregelen te nemen.
Het gevolg is een mobilisatie. Soldaten worden opgeroepen en op strategische punten gestationeerd. Ook Bart, die al eerder goedgekeurd is voor de dienst, moet onder de wapenen, zoals zovele jonge mannen uit het dorp, waaronder Gijs van de bakker. Dus zijn vooral de boerin en Fleur diepbedroefd dat hun geliefden het vaderland moeten gaan dienen. Dirk valt net buiten de boot, aangezien mannen slechts opgeroepen worden tot de leeftijd van zesenveertig jaar.
Men denkt in de Peel met het defensiekanaal een aardige barrière te hebben om de Duitsers eventueel tegen te kunnen houden. Bovendien is de Maas volgens ingewijden ook een moeilijk te nemen obstakel. Daar worden soldaten langs gemobiliseerd, die de kazematten moeten bemannen. Dat zijn grote betonnen blokken met smalle schietgaten, die bestand zijn tegen kogels en zelfs granaten.
Maar wat men over het hoofd ziet, is het feit dat Hitler al vanaf 1933 in de fabrieken wapentuig heeft vervaardigd, zoals de Panthertank, die men in Nederland niet heeft en zelfs niet kent. Onze soldaten liggen dus met materieel uit de Eerste Wereldoorlog aan het front en zijn daarom onvoldoende uitgerust, naar later zal blijken.
Want als op een mooie zonnige dag in mei 1940 Hitler met zijn troepen toch Nederland binnenvalt, is het voor ons leger, hoe dapper men zich ook verweert, eigenlijk vechten tegen de bier-

kaai. Als uiteindelijk op 14 mei de Duitsers met hun bommenwerpers de stad Rotterdam bombarderen, besluit de bevelhebber van de Nederlandse strijdkrachten samen met de regering, dat het wenselijker is zich over te geven om verder bloedvergieten te voorkomen. Op 15 mei volgt dan onze capitulatie.
In huize Heidelust herademen vooral de boerin en Fleur opgelucht. Nu zullen de jongens wel gauw terugkeren naar het dorp.
Dat doen ze inderdaad, maar niet voor lang, want in 1941 vaardigt Himmler een bevel uit, dat jonge mannen in Duitse werkkampen tewerkgesteld moeten worden om – zoals het heet – de Duitse fabrieken draaiende te houden, aangezien de Duitse mannen aan het front liggen. En zo kan het gebeuren dat Bart en Gijs en andere jongelui weer worden opgepakt en naar een Duits kamp worden getransporteerd. Vandaar uit gaan ze elke dag naar de dichtstbijzijnde fabriek om te werken. In het begin onder redelijke, later onder erbarmelijke omstandigheden.
Maar van dat laatste heeft men in Nederland en in het dorp nauwelijks weet. Het vervelendste is, dat men niet weet waar ze zitten en dat daarom dus briefwisseling ook niet mogelijk is.
Maar er komen meer vervelende zaken, zelfs in het afgelegen dorp.
De burgemeester wordt vervangen door een Duitsgezinde Nederlander, tot grote woede van boer Wolters, die in eerste instantie niets met de man te maken wil hebben als wethouder. Maar op aandringen van de meester blijft hij nog in functie, maar alleen om te horen wat men voorheeft. Dan kan hij wellicht anderen inseinen om passende maatregelen te nemen voordat die Duitse bevelen worden uitgevoerd. Zo moet men bijvoorbeeld op een gegeven moment de radio inleveren. Dat heeft de boer voordien gehoord, hij heeft toen snel een nieuw toestel gekocht en levert de oude in, zodat hij zijn plicht niet verzaakt.
Boven op zijn slaapkamer luistert hij elke middag en avond naar de Nederlandse uitzending vanuit Engeland, waar ook de regering naartoe gevlucht is. Radio Oranje zal later in heel Nederland een begrip worden.
Duitse troepen komen zelfs in het dorp en vlak bij boerderij

Heidelust komt een Duits zoeklicht te staan. Dat moet 's avonds en 's nachts Britse bommenwerpers opsporen in de lucht en het daarbij gelegen afweergeschut dient dan het vliegtuig neer te halen, zodat de Britten de Duitse steden en fabrieken niet kunnen treffen. Nee, de aardigheid is er een heel eind af en wreekt zich op het humeur van de Nederlanders en dus ook op dat van de dorpelingen.
De boer foetert constant op die burgemeester met al zijn bevelen, de vrouwe is bezorgd over haar zoon en Fleur hoort maar niet hoe het haar vriend Gijs vergaat. Zelfs een mooie zomer kan nauwelijks enige verbetering geven. Men hoopt alleen dat de oorlog gauw zal zijn afgelopen, opdat het normale leven weer zijn gangetje kan krijgen.
Maar de maatregelen worden alleen maar driester. Het speruur wordt ingesteld, dat wil zeggen dat men alleen met een bewijs van de Duitsers of de burgemeester nog na tien uur 's avonds op straat mag zijn.
Dat geldt met name voor een pastoor, dokter, vroedvrouw en verpleegster. Verder dient men het huis af te schermen van licht in de avond en nacht. Goed, op de boerderij kan men op de meeste plaatsen de luiken sluiten of de zware overgordijnen dichtdoen. Voor een enkel klein raampje kan altijd nog een stuk verduisteringspapier komen, waarmee de armen het vooral moeten doen. Diverse zaken komen op de bon, wat betekent dat men bonnen voor brood en vlees en andere waren moet hebben en die inleveren, voordat men iets krijgen en betalen kan.
Dat laatste treft natuurlijk Heidelust het minst. Aardappelen, groente, vlees, beleg, meel, dat alles is er in overvloed. De oude bakoven wordt weer opgeknapt en men bakt zelf van het gemalen meel witbrood en roggebrood. Zelfs Fleur heeft dat al gauw onder de knie. Maar bij velen, vooral in de stad, zonder een tuin, stijgt de nood al gauw erg hoog.
En de radioberichten voorspellen voorlopig nog niet veel goeds, volgens de boer en degenen die er stiekem ook een bezitten. Je moet echter niet betrapt worden door de Duitsers, want dan word je niet mals gestraft. Zelfs Nederlanders die met de

Duitsers heulen, verraden soms hun eigen land- en dorpsgenoten.
Men dient daarom erg waakzaam te zijn, en dus is het begrijpelijk dat de sfeer iets anders wordt dan voorheen. Vooral Fleur heeft daar last van, zij moet het doen zonder de gezellige bezoekjes van haar bakkersknecht. En daardoor is het dubbel opletten op Dirk, die – nu zijn mededinger er niet is – denkt vrij spel te hebben.
Zo ook deze morgen.
Voor meel moet Fleur in de schuur zijn en hoewel ze dacht dat Dirk op het land of in de weide was, blijkt hij onverwacht in de schuur op te duiken. Ze schrikt als ze plotseling van achteren zijn handen om haar middel voelt. Zijn hete adem fluistert zoete woordjes in haar oor, waar ze overigens door haar angst nauwelijks iets van hoort. Zijn handen gaan hoger, en aangezien ze nu een flinke meid van rond de twintig is, zijn haar borsten voller en ronder geworden.
In eerste instantie is ze verlamd van angst. Dan beseft ze dat ze een list moet verzinnen om nog weg te komen. Daarom zegt ze: 'Toe, Dirk, je doet me pijn, en zó kun je me enkel in de nek en haren zoenen, in plaats van op de mond.'
Dirk weet niet wat hij hoort. Zal ze, nu haar vriend taal noch teken gaf, eindelijk haar verzet opgeven? Ja, dan moet hij niet zo ruw zijn. 'Goed,' zegt hij en hij laat haar los, in de hoop dat ze zich zal omdraaien. Dat doet Fleur niet. Ze ziet de kleine staldeur openstaan en schiet als een pijl uit een boog op haar ranke benen weg, de deur door, die ze met een klap achter zich dichtgooit. Even is Dirk volkomen van slag. Dan hoort ze hem foeteren. 'Wacht maar, kreng, ik krijg je nog wel.'
Totaal overstuur vliegt Fleur de deel op. Haar hart bonst in haar keel, ze moet even op adem en tot rust komen en verkiest de stal boven de keuken, waar ongetwijfeld volk zal zijn.
In de stal zakt ze bibberend over heel haar lijf op een baal stro. Bah, wat een vervelende gewaarwording! Haar opgejaagde bloedsomloop veroorzaakt dat ze een vuurrood hoofd moet hebben, want voor haar gevoel staat ze in brand. Na enkele diepe zuchten en naarmate wat tijd verstrijkt, komt ze weer in

redelijke doen. Maar meel halen doet ze niet, of ze moet zeker weten dat Dirk in de wei of op het land bezig is.
Zal ze het tegen de boer of boerin vertellen? Misschien kunnen die Dirk op het matje roepen en hem de wacht aanzeggen. Maar anderzijds is ze als meid mans genoeg om haar eigen boontjes te doppen en ze neemt zich voor, de volgende keer de ander een slag voor te zijn en hem meteen een dreun te verkopen, voordat zijn grijpgrage handen enige kans krijgen.
Ze staat op, haar benen bibberen gelukkig niet meer zo als daarnet tijdens haar vlucht. Schichtig opent ze de buitendeur, op het erf is niemand te zien. De staldeuren staan met dit mooie weer wijd open en ze waagt zich een eind die richting uit. Maar er is wel iemand, hoort ze. Iemand tikt met een hamer op ijzer, dat is wellicht toch Dirk. Voorzichtig gluurt ze om de schuurdeur. Haar hart begint weer te bonzen, maar als ze Mats daar bezig ziet, voelt ze zich gelijk een stuk lichter.
Ze gaat naar de meelbak, schept de grote kom boordevol, zodat ze daar voorlopig ook niet meer behoeft te zijn. Omdat Mats met de rug naar haar toe staat en zoveel lawaai produceert, merkt hij haar niet eens op als ze de schuur weer verlaat.
Wat doet die daar trouwens? Hij sloeg met een ijzeren hamer op de zicht, waarmee je gras of koren kon maaien. Er zat zeker een bobbel of iets in, wat weg of recht moest, want hij tikte er behoorlijk hard op.
Omdat ze beide handen nodig heeft om de volle kom te dragen, is het maar goed dat de deeldeur openstaat, en die van de bijkeuken ook, waar ze de kom kwijt kan.
Dan rept ze zich naar de keuken, want al met al is ze wel een hele poos weggeweest. Maar noch de boerin, noch Bets zeggen wat, dus valt achteraf alles wel mee. Maar ze zal voortaan oppassen met die gluiperd.
Plotseling wendt de vrouwe zich tot haar. 'Fleur, Bets heeft er zelf geen tijd voor, kun jij niet even naar het dorp? Haal bij de bakker een flink brok gist, want die is op en zonder gist wil de boel niet rijzen. Laat maar opschrijven, je hebt hiervoor geen bonnen nodig. Neem de fiets van Bets maar mee, maar zet hem wel op slot, want er zijn volgens mijn man al diverse fietsen

weggehaald, misschien wel door de Duitsers.'
Fleur is blij even de boerderij te kunnen verlaten en zo ook weer andere gedachten te krijgen. Het is mooi weer, een jas is nu begin mei niet nodig. Even later trapt ze parmantig richting het dorp.
In de wei ziet ze de mannen het eerste gras maaien. Zeker om dat al te laten drogen voor hooi, want de weersvooruitzichten zijn volgens de boer gunstig. Fleur kan wel raden hoe hij aan die voorspelling komt. Maar iedereen op de hoeve moet daar zijn mondje over dicht houden.
Als ze de grote weg op fietst ziet ze enkele Duitse soldaten en twee mannen in zwarte uniformen lopen. Zijn dat ook Duitsers? Maar nee... Als ze dichterbij komt herkent ze een van de mannen als een dorpsgenoot. Jeetje, kan dat ook al? Als Nederlander in dienst zijn bij de Duitsers? Dat moet ze thuis eens navragen.
De Duitsers roepen iets van '*Gute Tag*' of zo, die twee in het zwart zeggen niets. Ze knikt naar het groepje, veel heeft ze er niet mee op, alhoewel ze eerlijk moet bekennen dat de Duitsers die vlak bij de hoeve liggen met dat zoeklicht, heel aardig zijn als ze iets op de hoeve komen vragen. Ook zij had ze al eens te woord moeten staan, ondanks haar gebrekkige Duits, maar ze hadden haar met geen vinger aangeraakt. Integendeel, ze hadden vriendelijk '*Danke schön, Fräulein*' gezegd, toen ze hen bij de pomp twee grote melktuiten had laten vullen met water.
Eerst was de boer er niet voor geweest, maar hij had beseft dat hij ze beter niet tegen zich in het harnas kon jagen, want waarschijnlijk traden ze dan minder welwillend op.
Zo, ze is op het dorpsplein. Ze ziet er werkelijk geen kip, maar zet de fiets toch maar op slot, zoals door de vrouwe gevraagd is, ondanks het feit dat ze hem door de etalageruit kan zien staan.
De bakkersvrouw zelf komt naar voren. Blij verrast om haar te zien, vraagt ze meteen of Fleur misschien iets over Gijs vernomen heeft. Met blikken vol verwachting kijkt ze Fleur aan. Maar die blikken versomberen snel als Fleur teleurgesteld haar hoofd schudt. 'Nee, vrouw Loonen, niets, zelfs geen teken van

leven. En ik hoef u dus ook al niet te vragen of u iets weet.'
'Nee, meidje, was het maar waar. Ik ben zo bang dat ik hem niet meer terugzie.'
'Maar vrouw Loonen toch,' reageert Fleur, want die hoop heeft Fleur wel degelijk. 'Als die rotoorlog voorbij is en Hitler zijn zin heeft, zullen ze toch wel weer gauw thuis zijn, hoor,' probeert ze de moeder van Gijs wat hoop te geven.
'Zou jij denken, Fleur?'
Deze knikt heftig. 'Tuurlijk, je zult het zien en dan gaan we het vieren, hè?'
'Zeker, meidje... zeker. En je bent dan welkom, hoor.' Fleur ziet aan haar dat ze de vrouw toch wat hoop gegeven heeft en dat doet haar goed. Maar het heeft ook andere zorgen bij haarzelf opgeroepen die ze eerst nog niet had.
'Nou, vrouw Loonen, tot ziens maar weer en als ik onverhoopt iets te horen krijg over Gijs kom ik het u persoonlijk meteen zeggen, goed?'
'Zeker, Fleur. En omgekeerd ook, hoor, want ik zie jou of Bets elke week toch wel een paar keer.'
Met de gist verpakt in een stuk papier in de ene hand en het fietssleuteltje in de andere hand, verlaat Fleur de winkel. Buiten is weer niets te zien op het plein, het lijkt wel uitgestorven. Net alsof de mensen nu denken: Ik wil voorlopig geen Duitser zien. Fleur heeft ook al de scheldnaam voor de Duitsers gehoord: Mof. Maar dat kun je beter niet zeggen als ze erbij staan, want die Duitsers kennen dat scheldwoord al, heeft de boer gezegd.
Langzaam fietst ze terug. Het is in elk geval een mooie dag, die veel vergoedt van wat haar deze ochtend overkomen is. Het geeft haar weer het blije gevoel terug en ze voelt zich meteen een stuk beter dan een uurtje geleden.
Zó kan het dus ook, bedenkt ze.

HOOFDSTUK 7

Ondanks de bezetting van de Duitsers gaat het leven weer zijn gangetje, zij het met allerlei beperkende maatregelen van de bezetter.
Hitler is aanvankelijk met veel succes Rusland binnengevallen en daar concentreert zich nu zijn waanbeeld van de slag om één groot Europa.
De Joden en zigeuners worden in alle bezette landen vervolgd, opgepakt en afgevoerd naar concentratiekampen. Af en toe sijpelen zulke berichten ook door tot het dorp. Dan schudt de boer meewarig zijn hoofd en zucht, dat het me het wereldje wel geworden is. Bovendien ziet hij met argusogen dat diverse mannen in hun dorp lid zijn geworden van de Wehrmacht Afdeling. Mannen in zwarte uniformen, met een brede koppelriem om, heulen met de Duitsers, in de hoop een mooi baantje te bemachtigen in deze moeilijke tijd. Maar het ergste is, dat ze er niet voor terugdeinzen om de Duitsers de helpende hand toe te steken, door informatie te verschaffen en verraad te plegen. En dat laatste zint Wolters totaal niet.
Samen met de meester en de dokter heeft hij in het dorp een soort ondergrondse, een verzetsbeweging opgericht, waar zelfs hun eigen familieleden niets vanaf weten. Zij trachten neergeschoten Britse piloten aan een terugtocht te helpen, via België. Of ze helpen mensen onder te duiken, als die om welke reden dan ook door de Duitsers gezocht worden.
Onlangs zijn er enkele mannen uit het dorp, na een spoedcursus van de WA in Terborg, ergens in de Achterhoek, opgeleid tot een soort hulppolitie van de Duitsers. En parmantig, trots op hun baantje en uniform, paraderen zij door het dorp en omstreken en doen hun verraderswerk. Dat zij bij de bevolking niet geliefd zijn, begrijpt zelfs Fleur nog. Want nadat ze thuisgekomen is van de rit naar de bakker, vertelt zij aan tafel over de twee mannen in het zwart die ze gezien heeft. Van één wist ze zeker dat hij uit het dorp kwam. 'Alle twee,' voegt de boer er grommend aan toe en zijn blik laat niets te raden over. En dan legt hij uit wat die mannen zoal doen. Ze schrikken er allemaal

van dat hun eigen bevolking zó kan meelopen met de moffen. Die avond moet de boer naar een vergadering, verder zegt hij er thuis niets over. Maar in het duister keert hij terug en dan slaan de boerin en Fleur, die beiden nog op zijn, van verbazing hun handen voor hun mond.
Een oude man en vrouw, netjes gekleed, ieder met een tas in de hand, verschijnen met de boer in de deuropening.
Wolters ziet de verbaasde gezichten en steekt van wal, na de mensen met een handgebaar een stoel aangewezen te hebben.
'Luister, vrouw en Fleur, naar wat ik nu zeg, en zwijg er met de anderen over. Dit zijn Manuel en Sara de Wijs, Joodse onderduikers uit Amsterdam.'
Fleur en de vrouw zien twee zielige hoopjes mensen, gezeten op hun keukenstoel, schuw om zich heen kijkend alsof ze elk ogenblik iets vreselijks verwachten.
'Die zoeken onderdak, omdat ze gezocht worden door de Duitsers,' gaat de boer verder.
De boerin slaakt een ontzette kreet. En die hebben wij nu in huis! gaat het door haar heen. Maar Fleur reageert juist met een medelijdende blik. De boer gaat door: 'Ik vind het onze plicht ze te helpen.' Twee totaal verschillende reacties zijn nu zichtbaar. Fleur knikt heftig van ja, de boerin toont angstige ogen met daarin grote twijfels.
De oudjes kijken gespannen van de een naar de ander, ze peilen hun kansen. De boer en dat meisje – zijn dochter, denken ze – zijn vóór, de vrouwe misschien niet. Dan horen ze de boer zeggen: 'Dus brengen we ze onder op onze boerderij.' Fleur ziet de twee oudjes een zucht van verlichting slaken en elkaar met vochtige ogen blij aankijken. Medelijden overspoelt haar hart.
'Voor vannacht gaan ze even op de logeerkamer bij Fleur op zolder. Morgen gaan we een schuilmogelijkheid met de mannen bouwen, waar ze overdag in kunnen verblijven en die bij een mogelijke huiszoeking niet gevonden kan worden.'
De boerin kijkt nog méér verschrikt. Ze wil iets naar voren brengen, maar wordt met een handgebaar door de boer het zwijgen opgelegd. Hij wendt zich tot Fleur.
'En nu, Fleur, maak eens wat brood klaar voor het tweetal, ze

hebben nauwelijks wat gegeten vandaag.' Fleur schiet overeind en in korte tijd stalt ze brood, boter en beleg uit op tafel. Koffie staat nog op het fornuis.
De twee kijken ongelovig naar al het lekkers. Als ze er niets van durven te pakken, zegt de boer dat ze zich niet hoeven te schamen, dit krijgen zij zelf ook hier. En ten overvloede wijst hij met zijn hand naar het uitgestalde.
Het is vertederend om te zien hoe de vrouw een héél klein beetje boter op het brood doet en één plakje ham en dat ze dat liefdevol aan haar man wil geven. Maar dan klinkt de stem van de boer weer: 'Dat is geen smeren, vooruit Fleur, smeer eens een paar fatsoenlijke sneden met beleg voor die mensjes.' En Fleur smeert en doet op de ene boterham flink wat worst, op de andere kaas of ham, zoals ze hier gewend zijn. Ze ziet dat de oudjes haar met grote, verbaasde ogen aankijken. Als ze hun elk een flinke snee aanreikt, hoort ze zachtjes een geprevel: 'Dank u, vrouwe... Erg bedankt, hoor.'
Fleur heeft met hen te doen. De boerin houdt zich wat afzijdig, ze weet niet wat ze ervan moet denken. De boer daarentegen is kordaat in woord en gebaar. En terwijl de twee met verrukte ogen zich te goed doen aan de maaltijd en de hete koffie, draagt de boer Fleur op om even de logeerkamer in orde te brengen. Als ze daarna terugkomt in de keuken, zijn de twee klaar met eten en vraagt de boer haar om de oudjes naar hun kamer te brengen en dan nog even naar beneden te komen.
Fleur gaat het stel voor naar de zolder. Op de kamer naast die van haar staat een tweepersoonsbed, een kast, een tafel met twee stoelen en een commode. De dikke overgordijnen heeft Fleur al gesloten, zodat het licht met een gerust hart kan worden aangestoken. De oudjes blijven even verrast staan in de deuropening. Fleur ziet hun blikken bewonderend de kamer door gaan. Ze vallen hier net als zij van de ene verbazing in de andere, bedenkt ze.
'Zo, dit is voorlopig jullie verblijf. Denk erom: de gordijnen gesloten houden.' Ze ziet beiden heftig knikken. 'En morgenochtend kom ik of iemand anders eerst wel even naar jullie toe, om te vertellen hoe het verder hier gaat. In ieder geval een

goede nachtrust en tot morgenochtend,' laat ze er lachend op volgen. Ze wil de kamer uit gaan, als ze ineens twee beverige handen op de hare voelt. Ze kijkt op. Het oude gezicht van de vrouw, getekend door alle gebeurtenissen van de laatste tijd, vertoont twee vochtige, maar ook dankbare, blije ogen. Haar beverige stem vol emoties zegt: 'Dank je, vrouwe, dank voor alles... U bent zó goed voor ons.' De man staat er zwijgzaam knikkend naast. Fleur raakt er wat ontroerd door.
'Maar lieve mensen, dat spreekt toch vanzelf. Enne... ik ben niet de vrouwe hier, hoor, dat is de boerin beneden, ik ben Fleur en noem me gerust zo, ik ben de tweede meid hier voor dag en nacht.' De oudjes knikken, dan laat de vrouw haar los en schiet Fleur met een vol gemoed de slaapkamer uit.
Op de gang zucht ze eens een paar maal diep, voordat zij de trap afdaalt naar de keuken.
Ze hoort de boer en boerin in heftige bewoordingen met elkaar praten. Ze blijft, hoewel ze beseft dat dat niet netjes is, aan de deur staan luisteren. Ze hoort de boerin zeggen: 'Ik vind het onverantwoord hier alles op het spel te zetten voor twee Joodse onderduikers.' Maar dan klinkt de zware stem van de boer. 'Je moest je schamen! Is dat nou christelijk, je medemens laten verrekken terwijl wij het zelf zo rijk hebben? Nou, ik zeg je, ik help, kome wat er van komt. Ik wil een zuiver geweten later. Anders lees je maar eens wat meer in de Bijbel, in plaats van die sensuele romans.' Blijkbaar heeft de vrouw nu geen weerwoord, want er valt een stilte. Zou de boer nu doelen op de boeken boven op hun slaapkamer, waarvan Fleur er ook één even ingezien heeft? Ze beseft dat ze hier niet eeuwig kan blijven staan, doet een paar pasjes terug, hoest eens flink en opent de keukendeur.
'Ga eens even zitten, Fleur,' zegt de boer en zijn gezicht staat allerminst vrolijk.
'Wat je vanavond hier gehoord en gezien hebt, blijft onder ons. Morgen zullen ook Mats en Dirk en Bets op de hoogte worden gebracht, en jullie allen krijgen de dure plicht om over die oudjes aan anderen nooit ofte nimmer iets los te laten. Beloof je me dat, Fleur?'

'Tuurlijk, baas, ik ben veel te blij dat ik wat voor die stumpers mag en kan doen. Van mij hoort niemand iets,' zegt Fleur ferm. 'Goed zo,' en Wolters knikt daarbij goedkeurend. 'De vrouw heeft nog zo haar bedenkingen, maar zij zal ook wel inzien dat we mensen in nood dienen te helpen.' Fleur draait haar ogen naar de boerin en ziet dat deze wat mokkend en zuchtend zich blijkbaar gewonnen heeft gegeven, maar zeker niet van harte. Nou, aan Fleur zal het niet liggen, zij zal de mensjes wel verzorgen alsof het haar eigen ouders zijn. Dat is zeker al ter sprake geweest, want de boer zegt: 'Jij krijgt de opdracht die twee hier te verzorgen, Fleur, en ik verwacht dat je dat naar beste vermogen zult doen.' Daarbij kijkt de boer haar recht in de ogen aan. Zonder de hare neer te slaan, antwoordt ze: 'Zover dat in mijn vermogen ligt, baas, en natuurlijk met uw goedkeuring, zal ik me over hen ontfermen zoals ik ook voor mijn vader en moeder zou doen.'
'Prachtig,' antwoordt de boer, 'en dan nu maar gauw slapen, morgenochtend praten we wel verder. Welterusten.'
Fleur staat op, zegt beiden goedenacht en gaat naar haar kamer. Daar sluit ze eerst haar gordijnen, knipt dan het licht aan en zinkt neer op bed. Tjonge... wat een avond toch! En die zielenpoten van oudjes. Nou, zij zal er wel voor zorgen dat het die twee aan niets ontbreekt en dat ze weer de oude worden, en vooral dat ze zich veilig voelen voor de Duitsers.
Eens te meer beseft ze dat ze vooral waakzaam dient te zijn voor hun eigen dorpsgenoten in het zwart, die WA-mannen. Er gaat een lichte huivering door haar heen, als ze eraan denkt dat mensen zoiets hun eigen landgenoten aan kunnen doen.
Dan kleedt ze zich vlug uit, stapt het bed in en doet het licht uit met de trekschakelaar. Maar van slapen komt nog niet veel. Ze heeft te veel indrukken vanavond moeten verwerken om die zo maar uit haar hoofd te bannen.
Toch... hoe het ook wendt of keert, van één ding is ze zeker: ze zal die oudjes als een eigen vader en moeder behandelen. Ze weet zich daarin gesteund door de boer, die het uiteindelijk hier toch voor het zeggen heeft. Over de boerin is ze nog niet zo zeker, maar die zal wel niet anders kunnen, denkt ze.

En dan, als de klok beneden twaalf slagen geeft, slaapt ze eindelijk in. Een klein verbeten trekje rond haar prachtige lippen duidt erop, dat ze staat voor wat ze toegezegd heeft.

De volgende ochtend verrast het Fleur dat ze, als ze de keuken binnengaat, daar niet alleen Bets aantreft, maar ook reeds de boer. Ze krijgt op haar groet een vriendelijke knik van de baas en eenzelfde gebrom als altijd van Bets. Zou de boer haar al verteld hebben over de nieuwe huisgenoten?
Maar aan Bets kan ze weinig of niets ontdekken.
Ze begint aan haar taak. Tjonge, bedenkt ze, twee eters erbij, dat wordt méér brood bakken, want voedselbonnen zullen deze onderduikers zeker niet bezitten. Maar ach, hier is alles nog in overvloed, alhoewel de laatste tijd ook al mensen om eten op hun hoeve komen. Zelfs de vrouwe, moet Fleur toegeven, stuurt dan niemand zomaar weg.
Na een poosje komen ook Dirk en Mats binnen en gaan zoals gewoonlijk aan tafel zitten. Petten af en kruisje, het geijkte tafereel, denkt Fleur in zichzelf lachend. Ook de boer gaat zitten en als ook Bets haar plaatsje gevonden heeft, steekt hij van wal.
'Mensen, ik heb jullie iets mede te delen, iets héél gewichtigs en vertrouwelijks. Vooral dat laatste. Ik wil na mijn verhaal jullie beloften hebben dat, wat ik vertel, onder ons hier op de boerderij blijft en ook niet' – en nu kijkt de boer Mats, Bets en Dirk een voor een aan – 'ook niet thuis of waar dan ook, doorverteld wordt. Zo ja, dan verlies je daarmee je plek hier op de hoeve, is dat duidelijk?'
Ze knikken allemaal, zelfs Fleur, die dat gisteravond al beloofd heeft. De boer gaat verder: 'Welnu, sinds gisteravond hebben we twee onderduikers in huis, een echtpaar waar de Duitsers naar op zoek zijn. Duidelijk is jullie nu wel, dat de kleinste loslippigheid voor hen en voor onze hoeve fataal kan zijn. Daarom: mondje dicht tegen ieder ander. Ook als ze naar zoiets vragen, speel je de onschuld zelve... Begrepen?'
Iedereen knikt weer. 'Mooi zo, dan vraag ik nu ieder afzonderlijk of hij dat mij beloven wil. Mats?' Deze knikt en zegt schor:

'Ja.'
'Dirk?'
'Ja baas.'
'Bets?'
'Ja baas.'
'En Fleur heeft het me gisteravond al beloofd, nietwaar, Fleur?'
'Zeker baas.'
'Mooi! Nu de oplossing voor die mensen, want die kunnen niet open en bloot hier rondstappen in de hoeve en op het erf, in ieder geval niet bij daglicht. Sneu voor die oudjes, maar dat weten ze, daar moeten ze zich bij neerleggen. Nou dacht ik eraan in de stal op de hooizolder vandaag een deel af te schotten, maar zó, dat je van buitenaf niet kunt zien dat daarachter nog een kleine ruimte is. Daar heb ik jullie hulp bij nodig, Mats en Dirk.'
Beiden knikken begrijpend. 'Nou, dan smakelijk eten en daarna gaan we samen eens op de hooizolder het een en ander regelen.'
Er wordt weinig gesproken, allen zijn onder de indruk van de woorden van de boer. Maar onder het eten gaan ieders gedachten door.
Mats denkt: Tjongetjonge, op de vlucht, en in eigen land nog wel... Bets denkt: Hoe is dat nu mogelijk in ons landje... En Dirk verorbert met een grimmige trek zijn ontbijt en denkt: Die rotmoffen... Maar die mensjes krijgen ze niet! Hij broedt tijdens het eten al op een plan hoe het een en ander eruit moet zien. Ze moeten toch wel een ruimte hebben met wat licht. Misschien één of twee glazen pannen op het dak, gelukkig zit boven de stalzolder geen rieten dak, alleen op het huis en een deel van de aanbouw. Dan moet die ruimte zó groot zijn dat er twee bedden of een stapelbed en een tafel met twee stoelen kunnen staan. Eten zullen ze wel krijgen, dus die voorziening hoeft niet. Wel iets als een noodtoilet. Ook een weg om te vluchten bij onraad natuurlijk, en dan niet over de ladder die naar de hooizolder leidt, want bij huiszoeking staat daar geheid een of andere mof. Nee... iets wat ze kunnen neerlaten uit hun ruimte en waarmee ze dan ongezien toch weg kunnen.

En omdat Mats en Bets al sowieso geen praters zijn, de boer het zijne gezegd heeft en Fleur met haar gedachten bij de oudjes is, wordt door het gepeins van Dirk – die anders de gangmaker is – zo goed als stilzwijgend het brood en de koffie genuttigd.
Als Mats ten slotte een kruis slaat, zijn pet weer op het hoofd plaatst en Dirk zijn voorbeeld volgt, staat ook de boer op en zegt: 'Fleur, maak eens een paar boterhammen voor Manuel en Sara en neem koffie mee naar hun kamer. Zeg maar, dat ze daar tot nader order moeten blijven. Ze mogen wel de gordijnen wat openen, maar niet echt voor het raam gaan staan en zeker niet de glasgordijnen opzijschuiven. Denk erom: van het begin af aan is voorzichtigheid geboden hier met ze.'
Fleur knikt en de mannen verlaten de keuken. 'Gut,' zegt Bets, 'wist jij er al van?' Er klinkt enige verwondering door in haar stem. Fleur ziet het ook aan haar verbaasde ogen en knikt. 'Ja, gisteravond tegen bedtijd kwam de boer op de proppen met die mensjes, echt zielige figuren, Bets! Ik zal mijn best doen hen zó te verzorgen alsof het mijn eigen bloed is.'
En Bets ziet aan haar gezicht, dat het bittere ernst bij Fleur is. Zo goed kent ze na al die jaren haar collega wel. Fleur is er eentje die doet wat ze zegt, en dat kan zelfs Bets wel in haar waarderen!

HOOFDSTUK 8

Het zomerse weer werkt zalvend op de dorpelingen, die toch al zoveel te stellen hebben in deze moeilijke tijd. Het hooi droogt fantastisch en al snel kunnen de mannen van Heidelust met de houten hooivorken het gedroogde gras bijeenharken en op oppers zetten. Houten driepoten, bovenaan met draad bijeengebonden, worden uitgezet en daar worden plukken hooi op gestapeld met ijzeren hooivorken, die slechts twee tanden hebben. Op hopen hangt het hooi nu verder te drogen, even van de grond af, omdat de ochtenddauw de weiden en velden 's ochtends vochtig doet zijn. Over een paar dagen kan het hooi met de platte vierwielige wagen binnengehaald worden en opgestapeld op de hooizolder, als wintervoer voor de koeien.
Op die hooizolder huist nu al een tijdje het echtpaar De Wijs. De oudjes maken het steeds beter, ook al door de goede voeding, maar vooral omdat langzaam de angst wegebt om hier opgepakt te worden. Angst die ze wel voelden toen ze als opgejaagd wild van de ene schuilplaats naar de andere trokken.
's Avonds als alles gesloten is, de stallen en woning potdicht, mogen ze weleens naar de keuken, als de boer hen zelf haalt. Ze weten dat ze overdag alleen maar mogen fluisteren in hun schuilplaats, alhoewel bij het uitproberen hun gesprek met elkaar door de goede isolatie niet te horen was. Maar de twee zijn toch al geen schreeuwers, dus zal dat wel lukken, zoals zij zich gedragen.
Fleur heeft verbijsterd geluisterd, toen ze 's avonds in de keuken eens vertelden over hun zwerftocht. Hun zoon en dochter, beiden getrouwd, zijn met hun kinderen opgepakt in Amsterdam en met de trein afgevoerd naar het Drentse Westerbork. Sindsdien hebben zij niets meer van hen vernomen. Begrijpelijk dat ze met tranen in de ogen hun relaas deden, en ook de vrouwe en Fleur hadden een traantje moeten wegpinken. De boer had slechts geknikt. Hij durfde niet te zeggen wat hij onlangs op de radio gehoord had. Van Westerbork werden de Joden naar kampen in Duitsland, Polen of Oostenrijk vervoerd, in wagons, als beesten op elkaar. En voor-

al Joden en zigeuners werden daar in gaskamers met zyklon B-gas om het leven gebracht. Nadat hun sieraden en zelfs hun gouden tanden afgenomen waren, werden ze dan in grote ovens verbrand, zodat er later geen bewijs meer zou zijn van wat zich voor vreselijks in die kampen had afgespeeld. De boer besefte maar al te goed welk lot de kinderen en kleinkinderen van het echtpaar De Wijs te wachten stond. Nee, dan was het gemis van hun zoon Bart erg, maar die werkte in Duitsland en zou te zijner tijd wel weer boven water komen. Tenslotte had Hitler die krachten hard nodig. Temeer daar hij in Rusland, na een voorspoedig begin, op hevig offensief stootte van de Russen.

Deze morgen, als Fleur Hector eten geeft, die zonder te blaffen kwispelstaartend op haar toe komt, ziet ze twee kraaien kroelen in de hoge boom achter de boerderij. Ze weet dat ze dan later op die plek een nest gaan bouwen, dat moet ze toch eens in de gaten houden. Vorig jaar hadden ze er ook gezeten.

Ook ziet ze de gele brem volop langs hun slootkanten, en in hun tuin bloeien vele krokussen en de forsythia, met de felgele kleine bloempjes. Alles leeft en ademt de sfeer van nieuw leven. Dat gaat gelukkig door, ondanks de moeilijke tijd, bedenkt Fleur.

Maar tegen de middag schrikt ieder zich lam.

Twee Duitse soldaten stappen uit een jeep en lopen recht op Mats af, die juist de zwarte voor de kar spant om het hooi van het land op te halen.

Fleur, die op het lawaai van een motor afkomt, ziet direct dat die twee niet van de zoeklichtbemanning zijn. Daarom holt ze naar de stal en trekt aan een touwtje in het huuske. Ze weet dat er nu een belletje gaat in de schuilplaats van de onderduikers. Afgesproken is, bij onraad drie kleine stootjes te geven. Bij éénmaal was de kust veilig en konden de mensen naar beneden komen. O, bedenkt ze, wat zullen ze in angst zitten! Zelf krijgt ze er kippenvel van, niet vanwege de kou, maar meer van de spanning.

Ze loopt naar de keuken en is daar nog maar net, of Mats komt hevig ontdaan binnengestruikeld. Meteen stoot hij uit tegen de

boer dat er Duitsers zijn, die de zwarte komen vorderen.
Woedend vliegt de boer uit zijn leunstoel, en schiet naar het erf. Mats loopt er op sukkeldraf achteraan. Keurig saluerend begroeten de twee Duitsers de boer, die goed Duits verstaat. Het komt erop neer dat ze één paard van de drie vorderen. Daarvoor tonen ze de boer een papier ondertekend door zijn eigen NSB-burgemeester en door de Ortskommandant. De reeks krachttermen die de boer uit doet de soldaten niets. De boer kan zelf bepalen welk paard hij mee wil geven, en hij mag de brief als bewijs houden, zodat als het paard niet meer nodig is, hij hem kan ophalen. Van dat laatste gelooft boer Wolters geen sikkepit, hij zegt dat ook in zijn gebroken Duits, maar de twee halen onverschillig hun schouders op. De boer kan hoog of laag springen, er moet één paard mee.
De sfeer wordt wat onvriendelijk. Het is Mats, die de boer voorstelt om dan de bruine hengst maar mee te geven, dan hebben ze de merrie nog voor nakomelingen.
Wolters maakt de twee duidelijk dat hij subiet naar de burgemeester gaat om zich te beklagen. De twee worden er niet warm of koud van. Uiteindelijk trekt men op de hoeve aan het kortste eind en bindt een van de soldaten de hengst achter de jeep. Ze groeten net zo beleefd, in stramme houding, als toen ze kwamen, en vertrekken stapvoets van het erf.
Vloekend kijkt de boer zijn bezit na. Dan gaat hij naar de schuur, pakt zijn fiets en spurt zo hard hij kan het stelletje achterna. Als de Duitsers hem in het vizier krijgen, springt een van de twee uit de jeep en komt met getrokken revolver naar de fietser toe. Hij is bang dat de boer zijn bezit alsnog komt opeisen. Maar hij vergist zich. Wolters stuift met een noodgang op hem af en als de Duitser niet een stap opzij had gezet, had de ander hem in zijn woede ondersteboven gefietst. Maar tot verbijstering van de twee gaat hij hen voorbij en trapt de boer, zonder hun een blik waardig te keuren, in dezelfde noodgang verder. De soldaat met het pistool in de hand maakt een hulpeloos gebaar naar zijn compagnon en stapt maar weer in. Het paard lijkt alle commotie ontgaan te zijn, want dat sjokt gewillig achter de jeep aan.

Boer Wolters gunt zich niet de tijd om zijn fiets tegen het bordes te zetten, laat staan dat hij hem op slot zet. Hij kwakt het vehikel tegen de trappen en vliegt die op, alsof hij op de hielen gezeten wordt.
Een WA-man, die als portier en conciërge fungeert, wil hem beletten binnen te gaan, maar wordt ruw opzijgeschoven. Dat laat deze weer niet op zich zitten en hij trekt de ander van achteren aan zijn kraag. Dat had hij beter niet kunnen doen, want in zijn drift haalt de machtige figuur zijn rechtervuist uit en slaat met één klap de man tegen de vlakte. Zonder om te kijken beent hij naar de kamer van de burgemeester. In plaats van te kloppen ramt hij de deur open en voordat er van de andere kant enig geluid van welke aard ook kan komen, staat de wethouder ziedend voor zijn burgemeester.
Deze ziet de woedende boer en hij schuift met zijn bureaustoel een metertje achteruit, bang dat de ander hem over het bureau heen bij zijn kladden zal pakken.
Dat scheelt ook niet veel. Briesend stoot Wolters uit: 'Wat geeft jou het recht mijn bezittingen te vorderen? Nou, zeg op...' En dreigend met twee handen steunend op het grote bureau, komt de boer vervaarlijk richting de ander.
Die, hersteld van de eerste schrik, beduidt dat de ander moet gaan zitten in de daarvoor bedoelde stoel. Maar daar heeft Wolters helemaal geen zin in. Hij zucht eens diep, want de fietstocht en de commotie net in de gang en hier, hebben het uiterste van hem gevergd. Dat geeft de burgemeester de kans iets te zeggen.
'Bedaar, Wolters, ik leg het je uit. Ga zitten, man! Dadelijk begeeft je hart het nog. Tjongetjonge, om je zo druk te maken om zoiets.'
'Zoiets?' briest de ander, die weer half overeind komt. Maar de burgemeester gebaart dat hij weer moet gaan zitten. Verdomd, denkt Wolters, wat is het hier warm. Hij haalt een grote rode zakdoek uit zijn broekzak en wist zich daarmee het klamme zweet van zijn vuurrode gezicht. Dat geeft de ander weer de kans wat te zeggen.
'Ik kan het ook niet helpen,' begint hij vlug. 'Orders van de

Ortskommandant, en die moet ik, ook al ben ik het er niet mee eens, uitvoeren.' En nu kijkt hij zijn wethouder aan, om te zien wat deze daarop te zeggen heeft. Deze reageert furieus.
'Ortskommandant, Ortskommandant? Wat heb ik met die Duitser te maken? Jij wilt hier toch burgemeester zijn en jíj hebt die brief toch ondertekend, of niet soms?'
'Ja, maar hij ook! Dat is je misschien ontgaan, en bovendien kan hij bevelen wat ik te doen of uit te voeren heb, hij staat in rangorde boven mij,' verdedigt de burgemeester zich.
'Tjongetjonge,' zucht de boer. '*Befehl ist Befehl*, zeker, en jij voert dat klakkeloos uit.'
'Tja, dat heb ik te doen, want anders...' De burgemeester haalt zijn schouders op.
'Nou, wat anders?' haakt Wolters er iets rustiger op in.
'Nou, anders kan ik ophoepelen, dat snap je toch wel zeker?'
Wolters schudt eens met zijn hoofd. 'Nou, mij niet gezien, hoor. Dan hoepelde ik wel op, want ik zou het vertikken om zo'n bevel uit te voeren.'
Er wordt beschaafd op de deur geklopt. 'Binnen,' roept de bestuurder. Dan verschijnt er een man in zwart uniform, salueert met zijn hand, steekt die daarna recht voor zich uit en roept met een bebloede kop: 'Heil Hitler!'
'Ja, Veenstra?' De burgemeester trekt vragend zijn imposante, donkere wenkbrauwen op. 'Deze man hier,' en de man in het zwarte uniform wijst naar Wolters, 'heeft mij in de gang tegen de vlakte geslagen. Vandaar mijn bebloede gezicht.'
De burgemeester wrijft met zijn linkerhand eens over zijn kalende schedel. Dan wendt hij zich tot zijn wethouder.
'Is dat waar, wat Veenstra vertelt, Wolters?'
'Niks van gelogen. Alleen... die vent wilde mij als wethouder tegenhouden om naar binnen te gaan. Nou... dan heeft hij juist de verkeerde voor zich.' Wolters wordt weer boos als hij eraan denkt.
'Ja maar, Wolters, de man doet zijn plicht, je moet je melden bij hem, zodat hij je kan aandienen bij wie jij wezen moet,' probeert de burgemeester hem te sussen.
'Plicht... plicht?' windt Wolters zich weer op. 'Kunnen jullie

hier nog wat zelf beslissen, of zijn jullie marionetten geworden van die Duitsers?'
'Nounou, marionetten gaat te ver, Wolters, maar we dienen hun orders uit te voeren, ja en dat probeerde Veenstra ook te doen.' Hij wendt zich tot de man. 'Ik neem het wel met Wolters op, Veenstra, en daarna spreken jij en ik elkaar hier, akkoord?'
Weer klakt de ander met de hakken tegen elkaar, steekt zijn rechterhand naar voren, draait zich een kwartslag om en verlaat het vertrek.
Het moet hier toch niet veel gekker worden, denkt Wolters, want dan geef ik toch wel de brui aan dat wethouderschap. De meester kan me wat.
De affaire heeft de rust in de kamer enigszins doen herstellen. Maar eigenlijk is Wolters er niks mee opgeschoten, beseft hij. Dus probeert hij nog een poging, nu wat kalmer en rustiger formulerend.
'Nou, burgervader,' – hij spreekt het woord wat smalend uit, met de klemtoon op 'vader' – 'kun je ervoor zorgen dat ik de bruine terugkrijg... ja of nee?' En hij kijkt de ander daarbij recht in het gezicht.
Tactvol zegt de ander: 'Op korte termijn niet... Zolang zij jouw paard nodig hebben, blijft hij gevorderd. Maar zodra ze hem niet meer nodig hebben, laat ik je dat meteen weten en kun je hem ophalen.'
'Het is me het wereldje wel geworden,' bromt Wolters. 'En dat terugkrijgen, dat geloof je toch zeker zelf niet, of wel soms?'
De burgemeester knikt: 'Ja hoor, Wolters, wat de Duitser belooft doet hij, daarin zijn ze *gründlich*.'
Stik, denkt de ander, praat Nederlands tegen me. Hij schampert: 'Jaja, ik hoor het al, straks praten we ook nog allemaal Duits. Nou, maar deze jongen toch mooi niet, dan verstaan ze mij maar niet. Des te beter.' En Wolters staat op, hij begrijpt dat hij hier het pleit grotendeels verloren heeft, op die Veenstra na natuurlijk, die heeft hij toch maar mooi laten zien wie de sterkste was.
'Mooi zo, man. Ik ben blij dat je je erbij neerlegt. Ik moet dat ook, en hou je een volgende keer tegen die Veenstra gedeisd,

want anders kan hij het je nog knap lastig maken in de toekomst. Daar schiet niemand wat mee op.' De burgemeester steekt zijn hand uit en uit fatsoen beantwoordt Wolters die uitgestoken hand, maar van harte gaat het allerminst.
Op de gang ziet hij die pias weer staan. Hij gunt de man geen blik waardig en beent zonder hem te groeten de deur uit, de trappen af. Maar goed dat hij niet hoort wat de ander zegt: 'Jou krijg ik nog wel, mannetje.'
Dat 'mannetje' springt weer uit zijn vel, als hij ontdekt dat zijn rijwiel niet meer tegen het bordes ligt. Even kijkt hij om zich heen, dan schiet hij weer de trappen op. Veenstra maakt zich al breed. Maar de boer pakt hem bij zijn kraag en brult: 'Waar heb je mijn fiets gelaten? Zeg op!'
De man stikt haast, doordat de ander hem een centimeter of tien boven de grond houdt. Dan vliegt de deur van de kamer van de burgemeester open en roept deze: 'Wat is er aan de hand, mensen?'
Wolters laat de ander zakken, die naar zijn keel grijpt en naar adem snakt. 'Mijn fiets, verdomme, waar is mijn fiets?'
De burgemeester plant zich tussen de twee kemphanen in. 'Stond hij op slot, Wolters?'
Deze kijkt de ander aan of hij wartaal spreekt. 'Nee, natuurlijk niet... Daar had ik nogal de tijd voor met die rotbrief van je.'
'Nou, dan is hij volgens orders meegenomen naar de binnenplaats van het gemeentehuis,' stelt de burgemeester vast.
Wolters kijkt verbaasd, en pakt dan Veenstra bij de arm. 'Halen!' gebiedt hij de zwartrok.
Maar de burgemeester zegt nu ietwat pissig: 'Wet is wet, Wolters, dat moet jij als wethouder als geen ander weten... Loop maar met me mee, dan zal ik eens kijken wat ik voor je doen kan.'
Tjongetjonge, schudt Wolters zijn hoofd. 'Wet is wet en *Befehl ist Befehl*. Kan het eigenlijk nog gekker, burgemeester?'
Deze besluit wijselijk zijn mond te houden, maar een minzaam lachje speelt rond zijn mond en Wolters weet, dat het inderdaad nog gekker kan.
Even later peddelt hij in een rustiger tempo de weg terug. Maar

innerlijk kookt het nog steeds en dat merkt ook Dirk, als hij de baas zijn fiets tegen de gevel ziet kwakken en met grote stappen naar binnen ziet benen. Oei, denkt hij, dat geeft hommeles. En zo is het. Nauwelijks is de boer in de keuken of hij foetert dat die lui op het gemeentehuis schijtluizen zijn, dat wet daar wet was en *Befehl* verdomme *Befehl*. De vrouwen schudden eens meewarig hun hoofd, maar geen van drieën durven ze hem een weerwoord te geven. En dat is maar goed ook, want wellicht zou de boer zijn hele tirade weer opnieuw beginnen en hier zou geen Veenstra zijn om zich op af te reageren!

HOOFDSTUK 9

Als deze morgen Fleur het echtpaar De Wijs hun ontbijt brengt, bemerkt ze dat de oude baas er niet erg florissant uitziet en een lelijke hoest over zich heeft.
Ze zegt het tegen de boer, die haar vraagt of de dokter gehaald moet worden. Eerlijk zegt Fleur, dat het hoestje haar niet aanstaat en dat het wellicht beter is de dokter te waarschuwen. De boer belt naar de huisarts en vertelt daarna dat dokter Horbach vandaag na het spreekuur langskomt.
En inderdaad, na de koffiepauze verschijnt de Ford V8 van de dokter op het erf en meent Hector daar op zijn eigen wijze melding van te moeten maken.
De oude De Wijs is even met zijn echtgenote in de goeie kamer gezet, aangezien in hun schuilplaats een gedegen onderzoek wat moeilijk uit te voeren is. Voor alle zekerheid wordt Fleur op wacht gezet en zal zij, als ze iets verdachts ziet aankomen, de boer inseinen. Maar het consult verloopt voorspoedig, zonder verdere problemen. Wel constateert de dokter een longontsteking. Hij draagt de patiënt op bedrust te houden, wat uiteraard gezien de situatie waarin zij verkeren niet zo moeilijk is. Ook schrijft hij medicijnen voor.
Als hij terug is in de keuken en een kop koffie nuttigt, vraagt hij aan de boer of Fleur de medicamenten niet even kan ophalen, zodat De Wijs meteen aan de noodzakelijke kuur kan beginnen. Natuurlijk is dat mogelijk. Dan oppert Horbach nog een idee. Fleur lijkt hem een flinke meid, en hij vraagt haar of ze er niet iets voor voelt een spoedcursus EHBO te volgen bij hem. Hij kan het werk haast niet meer aan en in veel gevallen, vooral bij een bevalling en kleine ongelukjes, zou het wenselijk zijn dat niet hij maar iemand als Fleur de patiënt zou verzorgen.
Fleur, die wel wat voelt voor het plan, kijkt de boer aan. Tenslotte moet die permissie ervoor geven, want soms zal er dan ook onder haar werktijd een beroep op haar gedaan worden. De boer knikt direct zó instemmend, dat Fleur die twee ervan verdenkt het er in het ondergrondse werk al over gehad te hebben. Alleen de vrouwe heeft nog enig bezwaar. 'Maar

man, de dokter zal haar ook wel eens nodig hebben onder werktijd hier, en hoe moet dat dan?'
'Me dunkt,' zegt Wolters licht geïrriteerd, 'dat Bets en jij dat wel klaren hier. Zieken en hulpelozen in deze tijd zijn warempel méér gediend met hulp dan onze alledaagse karweitjes, waarvan er soms best een kan blijven liggen tot Fleur er weer tijd voor heeft.'
De vrouwe schudt haar hoofd. Ze weet echter als geen ander dat verder verzet volstrekt zinloos is en houdt daarom maar haar mond.
'Eigenlijk,' gaat de dokter verder, 'moet de oude man, als hij hersteld is, af en toe de frisse lucht in, maar ik begrijp best dat er hier risico's aan zijn verbonden.'
'Tja, Horbach, overdag is dat uitgesloten, 's avonds zou dat op de binnenplaats nog wel kunnen. We zullen zien, zover is het nog niet en die verdomde oorlog zal toch wel eens een einde krijgen, hoop ik.'
Maar de dokter is daar nog niet zo zeker van. Goed, de Duitsers hebben een grote nederlaag in Rusland geleden, maar zetten nu alles op alles om Engeland te bereiken. 'En dat zullen we merken hier, dat geef ik je op een briefje, Wolters.'
De woorden van de arts worden de volgende avond al bewaarheid. Het zoeklicht van de Duitsers maakt overuren en het geschut ratelt geregeld en verbreekt daarmee de doodse stilte van de avond en nacht.
Nieuwsgierig staan de bewoners op het erf en zien dan, als er in de lucht gebrom te horen is, hoe een felle lichtbundel het wolkendek aftast op zoek naar Britse bommenwerpers. Die proberen het Duitse Ruhrgebied te bereiken om de oorlogsindustrie aldaar schade toe te brengen.
Fascinerend is te zien hoe, als het zoeklicht een vliegtuig in beeld heeft, er meteen een lading projectielen uit het geschut die richting uit gaat. Een gejuich stijgt op als op het moment dat het zoeklicht een bommenwerper in de picture heeft, een wolk plotseling het toestel onzichtbaar maakt. Maar bij een heldere hemel ligt dat anders. En zo'n hemel is het vanavond, er is nauwelijks een wolk aan de lucht. Het geluk is, dat er een heel

konvooi bommenwerpers over komt en het geschut slechts een bepaalde reikwijdte heeft om nog doeltreffend te kunnen zijn. Maar deze avond is het raak. Een brandend toestel in de lucht maakt de Duitsers op de grond duidelijk dat ze een voltreffer hebben afgevuurd, en driftig wordt verder in de lucht gezocht naar meer doelen.
Op het erf ziet men het brandende gevaarte naar beneden tollen en een kilometer van hen vandaan met een klap en een vuurbal neerstorten op de heide, vlak voor de bosrand. Ze hebben het nog maar nauwelijks gezien of een zacht geruis door de lucht is duidelijk hoorbaar. Dan scheert net over de toppen van de fruitbomen een parachute met daaraan een gedaante. Hij gaat vlak over hun hoofden heen en raakt dan in een tak van de machtige kastanjeboom verstrikt. Het is de boer die het eerste zijn positieven hervindt. 'Gauw, Dirk, de ladder!' Zelf rent hij naar binnen en komt terug met een broodmes. Dan zien de vrouwe en Fleur hoe ze de ladder tegen een dikke tak plaatsen en Dirk de opdracht krijgt de ongelukkige los te snijden. Als dat lukt, blijkt de man zelf in staat om via een tak de ladder te bereiken. Maar naar beneden komt hij niet. Hij rukt en snijdt met iets dat op een dolk lijkt de parachute in stukken, beduidt dat ze beneden de flarden uit de boom moeten trekken en pas als de boom gezuiverd is van de resten van de parachute, komt hij de ladder af.
Dan ziet Fleur dat de man bloedt en gewond is. '*Thank you,*' is het eerste dat hij op de grond uitbrengt. '*Quick, the German soldiers...*' en hij wil wegrennen. Maar de boer grijpt hem bij zijn arm. '*Good... good. Come on,*' weet hij in zijn beste Engels te zeggen en trekt de ongelukkige mee naar binnen. Dirk krijgt de opdracht de ladder terug te zetten en na te zien of er in de boom nog resten hangen van de parachute, want óók de boer begrijpt dat de Duitsers inderdaad op zoek zullen gaan naar de bemanning, die met een parachute hun leven trachten te redden. De parachuteresten verdwijnen in het grote fornuis. Dat buiten een tijdje zwarte rook uit de schoorsteen komt, daar let niemand op, dat zal van korte duur zijn.
Binnen lijkt het bebloede gezicht van de man behoorlijk te zijn

geraakt, misschien wel door de takken van de kastanjeboom. In de bijkeuken wast Fleur zijn gezicht. Een diepe schram loopt over zijn rechterwang en bloedt. Verder zijn er kleine schaafwondjes, die niet zo dramatisch zijn. Maar de boer begrijpt dat de man hier zo niet kan blijven, omdat de Duitsers elk moment kunnen verschijnen.
De schuilplaats van de onderduikers, schiet het door zijn brein. 'Fleur,' gebiedt hij, 'neem hem mee naar de schuilplek, de mensen moeten vannacht maar met z'n drieën daar vertoeven, het is niet anders. Jij probeert hem daar te verbinden en blijft bij onraad ook daar. Bij driemaal de bel, allemaal de mond houden, zoals afgesproken. Als je klaar bent, kom jij alleen terug. Maak hem duidelijk dat hij tot morgen daar blijft, en als er Duitsers komen hebben we niets gezien. Beter is het, Dirk, dat ook jij naar bed gaat. Het is tenslotte al over tienen.'
Dirk zoekt zijn plekje op. Fleur beduidt de Engelsman dat hij mee moet gaan. Ze neemt de verbanddoos mee die ze van Horbach gekregen heeft na haar spoedcursus, die nu goed van pas komt.
In de keuken is de vrouwe geheel de kluts kwijt. 'Maar man, weet je wel wat je doet? Dadelijk staan er Duitsers hier... op zoek naar die bemanning, en dan doorzoeken ze het huis. Dan vinden ze misschien wel iedereen en dan...' Ze breekt in tranen uit.
'Nou, stil wat,' probeert de boer haar te kalmeren. 'Ga jij maar alvast naar de slaapkamer, kleed je uit en kruip in bed. Ik ga sluiten en kom ook. Fleur komt pas als ze klaar is, en bij onraad blijft ze in de schuilplaats. Als er Duitsers komen sta ik ze te woord en doe je, als ze boven komen, alsof je slaapt en net wakker geworden bent.'
Hij moet zijn vrouw nog een duwtje geven, om haar zo tot actie te dwingen. Zelf sluit hij alles af: schuur, staldeuren en de deel. Hij doet de lichten uit en gaat dan ook naar boven.
Intussen heeft Fleur het oude echtpaar De Wijs uitgelegd dat ze vannacht een logé krijgen, een Britse piloot. De oude De Wijs fleurt op, hij blijkt uitstekend Engels te spreken en Fleur moet de twee duidelijk maken dat alleen fluisteren is toegestaan en

zelfs absolute stilte bij driemaal het belletje.
De piloot blijkt John White te heten en dat klopt volgens De Wijs vrij aardig met zijn witte huid en rossige haren. Fleur maakt eerst de wond schoon, doet dan desinfecterende zalf erop en plakt een flinke pleister op zijn wang, wat de oudjes doet glimlachen. De schaafwondjes stellen niet zoveel voor en na reiniging en wat jodium zal dat heel snel genezen zijn.
Dan pakt Fleur haar boeltje bijeen. Ze vraagt De Wijs of hij aan de ander duidelijk wil maken dat hij bij hen moet overnachten, en dat hij absoluut stil moet zijn bij het alarmteken, omdat de boer de Duitsers verwacht op zoek naar hem.
John schijnt het te begrijpen en knikt. Hij geeft haar de hand, bedankt haar met '*Thank you, miss... and sleep well.*'
'Goeienacht,' zegt Fleur in haar moederstaal en sluit zorgvuldig de schuilplaats. Van spanning moet ze even naar het huuske, en daarna bergt ze de verbanddoos op en gaat naar haar slaapkamer.
Het valt mee, buiten hoort ze nog vaag wat motorgeluiden, maar blijkbaar zó ver weg dat het afweergeschut de doelen niet bereiken kan, want dat zwijgt in alle talen.
Maar juist als ze insluimert wordt ze weer wakker door Hector. De hond gaat tekeer alsof de boel in brand staat. Hij blaft de longen uit zijn lijf, trekt woest aan de ketting. Kort daarop wordt er op de deur gebonsd en hoort Fleur vaag iets van: '*Aufmachen.*'
De boerin zit rechtop in bed. 'Daar heb je het gedonder, wat nu?' jammert ze. De boer is er al uit, hij trekt zijn broek aan en sist: 'Hou je gemak en blijf kalm! Ga liggen. Mochten ze op de kamer komen, zeg dan niks, doe maar alsof je ze niet verstaat. Ik doe het woord wel, ga liggen.'
Dan beent hij de trap af. Omdat er nu luider op de deeldeur gebonsd wordt en hard geschreeuwd, haast de boer zich eerst naar het huuske, trekt driemaal aan de bel, sluit de deur en loopt mopperend met een 'Jaja, rustig maar' naar de deeldeur.
Als hij het licht aansteekt houdt het gebons en geschreeuw op, en nadat hij de grendel verschoven heeft, doet de boer de deur open.

‘Wat moet dat midden in de nacht!’ bromt hij. De sergeant doet een stap naar voren en zegt: ‘*Wir suchen der Bemannung des Flugzeugs*.’
‘Was?’ zegt de boer, die doet alsof hij er niets van begrijpt. De sergeant begint, nu met gebaren, de zin nogmaals te herhalen. Maar de boer doet alsof hij er nog steeds niets van snapt.
‘*Durchsuchen sie das Haus*,’ gebiedt de sergeant de drie andere mannen. Deze willen naar binnen. ‘Hoho... *mein Haus*!’ reageert Wolters fel.
‘*Jawohl, aber wir suchen nach der Bemannung*.’
‘*Wij schlafen allen*,’ antwoordt Wolters en alsof dat niet duidelijk genoeg is, doet de boer zijn handen samen naast zijn gezicht, legt zijn hoofd erop en maakt snurkende geluiden. Het is haast komisch om te zien, maar de Duitsers beginnen deuren te openen en de verschillende vertrekken in te kijken. De boer loopt met hen mee.
Als ze naar boven willen, gaat hij voor de trap staan. ‘Hoho, *mein Frau enne meid... schlafen daar*,’ en hij wijst de trap op. De sergeant knikt, zegt dat ze daar toch moeten kijken. De boer gaat hen voor.
Barts kamer is uiteraard leeg. De sergeant loopt daarna de slaapkamer van de boer en zijn vrouw in, maakt de grote kastdeur open, kijkt naar de echtgenote, zegt ‘*Entschuldigung*’ en wijst naar de volgende trap.
‘*De meid schlaft da*,’ legt de boer uit.
‘*Hoch*,’ klinkt het en een soldaat gaat boven kijken. Met de logeerkamer is hij zo klaar. Dan opent hij de deur van Fleurs kamer, die allang begrepen heeft dat er huiszoeking is. Als de Duitser het licht aanknipt, doet Fleur alsof ze net uit haar slaap gehaald wordt. Ze schiet half overeind en slaakt een ijzige gil, alsof ze aangerand wordt. De boer schiet ook de trap op, gevolgd door de sergeant. Als de soldaat een blik in de kast geworpen heeft, zijn ook de boer en de bevelvoerder boven.
‘Ze zijn gek, Fleur, die Duitsers. Huiszoeking.’ De boer zegt het alsof die lui ze niet allemaal op een rijtje hebben. De sergeant verontschuldigt zich tegenover Fleur. ‘*Entschuldigung, Fräulein*.’ Hij sluit zelf de deur weer.

'Nou tevreden?' Wolters wil het stel de voordeur uit loodsen. Maar de leider schudt zijn hoofd en beduidt dat hij ook de stal en de schuren in wil zien. Wolters schudt nu ook met zijn hoofd, alsof dit alles verspilde moeite is.
Maar ze beginnen met de bijkeuken, zelfs het huuske wordt grondig geïnspecteerd, daarna gaan ze de ladder op. De sergeant ontdekt de deur die naar de slaapkamer van Dirk gaat. Deze is allang wakker, maar hij speelt net als Fleur het spel mee. Nauwelijks is er licht gemaakt of een slaperige scheldkanonnade in het Nederlands daalt over de soldaten heen.
Die begrijpen al snel dat het onmogelijk een Engelsman kan zijn die zo vloeiend Nederlands spreekt, en dat het niet allemaal Algemeen Beschaafd Nederlands is wat ze over zich heen krijgen, is hun ook duidelijk.
Op de stal kijken de koeien met lodderogen het vreemde gespuis aan, maar natuurlijk wordt ook daar niets ontdekt. In de aanbouw worden zelfs de grote voederkisten met meel bekeken. De soldaten kijken ook achter balen stro, en één soldaat gaat de ladder naar de hooizolder op en priemt met zijn geweer met daarop een bajonet, her en der in het hooi. Tot opluchting van de boer komt hij weer de ladder af.
De boer gaat hen voor naar de deel en opent de deur met de woorden: 'Zie je wel... niks.' Hij heft zijn beide handen ten hemel, alsof hij het ook niet helpen kan. Hector slaat weer aan zodra er een soldaat buiten komt. De boer kijkt om de deur en roept: 'Koest, Hector!' maar het gebruikelijke 'goed volk' laat hij dit keer achterwege. Dus zet Hector opnieuw aan. Wolters wil de deur sluiten, als de leidinggevende naar de schuur wijst.
'*Aufmachen*!'
'Niks... helemaal niks daar,' beweert de boer. Maar die woorden maken geen indruk en de heren zijn pas tevreden als ze in alle hoeken en gaten gekeken hebben en beseffen dat daar niets van hun gading te vinden is.
Wolters sluit weer de grote deuren, knikt, maakt het gebaar van slapen weer en steekt het erf over naar de boerderij.
'*Entschuldigung, Bauer und gute Nacht*,' verontschuldigt de sergeant zich.

'*Nacht, ja... schlafen,*' zegt de boer. Hij beent naar de deel, zegt Hector nogmaals dat hij koest moet zijn en sluit met bonzend hart de deur. Dan begeeft hij zich eerst naar het huuske, trekt eenmaal aan het touw en doet meteen maar ter plekke zijn behoefte. Als hij het huuske verlaat, komt Dirk informeren hoe het gegaan is.
'Prima Dirk! Goed werk geleverd... welterusten.' En Dirk scharrelt weer terug naar zijn kamer.
De boer is nog maar nauwelijks boven of hij hoort boven aan de tweede trap Fleur fluisteren: 'Hoe is het gegaan, baas?'
'Prima, meid! Je speelde al net zo goed toneel als Dirk, alleen stortte die een litanie van krachttermen over die Duitsers heen. Nou, slaap ze, hoor.'
'Ja, welterusten, baas.'
Op zijn slaapkamer ligt zijn vrouw nog te huiveren van schrik, als hij naast haar schuift. Nonchalant vertelt hij haar dat ze niets, maar dan ook niets ontdekt hebben. Alleen zegt hij er maar niet bij dat hij overdag nog wel eens een huiszoeking verwacht. Morgen even met de meester overleggen hoe die piloot hier zo gauw mogelijk weg kan. Twee onderduikers is wel genoeg.
En tegen twaalven keert de rust weer op de hoeve. Hoewel een paar hoevebewoners nog uren wakker liggen, overmand door de emoties van deze avond.

In alle vroegte is de boer die ochtend naar het dorp.
En terwijl Mats en Bets inmiddels zijn bijgepraat en de onderduikers van hun ontbijt voorzien zijn door Fleur, bemerkt deze, dat John het liefst zo snel mogelijk terugwil naar zijn vaderland. Dat wordt haar meegedeeld door De Wijs.
Ze belooft het tegen de boer te zeggen. Deze knikt als ze erover begint. Hij neemt haar mee naar de goeie kamer.
'Luister, Fleur. In het dorp waar jij vandaan komt leidt de oude schoolmeester een beweging die piloten naar België helpt smokkelen. Vandaar uit steken ze over naar Engeland. Dat kan daar makkelijker, omdat die kust minder zwaar bewaakt wordt door de Duitsers dan in ons land. Ik ben ook al bij de dokter

geweest. Vanmiddag haalt hij de piloot op, maar hij vroeg of jij in je uniform van verpleegster mee wilt, zogenaamd als ziekenverzorgster. Hij zegt John hier op de hoeve wat vlekken te schminken en dan wordt hij als tyfuspatiënt zogenaamd, vervoerd naar het ziekenhuis in de stad. De patiënt houdt zich doodziek en kan niet spreken. Hij krijgt oude kleren van mij aan. Heb je dat begrepen?'

Fleur knikt, ze vindt het wel spannend en neemt zich voor haar rol net zo goed te spelen als vannacht. Dat is nog eens iets anders dan het werk op de boerderij, en bovendien keert ze zo weer eens terug naar haar dorp en ziet ze haar meester dus weer.

De Wijs vertaalt het hele verhaal en John knikt goedkeurend. Hij is misschien blij op korte termijn terug te zijn in zijn vaderland.

Fleur bedenkt, dat als er vanuit haar vroegere dorp de piloten naar België worden gebracht, het weleens kon wezen dat buurjongen Harm de gids was. Of misschien zijn vader, of zou die daar al te oud voor zijn?

Afijn, misschien hoort ze dat vanmiddag wel. Zal ze de dokter kunnen vragen even langs haar huisje te rijden?

Ze zal het proberen, maar of het lukken zal?

HOOFDSTUK 10

De dokter is een van de weinigen die zijn auto heeft mogen behouden in verband met het uitoefenen van zijn functie. Als die middag de dokter met zijn Ford het erf op rijdt, zit John al gekleed in oude kleren van de boer in de goeie kamer.
De arts heeft een klein koffertje bij zich en na zich in vlot Engels voorgesteld te hebben, schminkt hij op het gezicht en de handen en armen van John wat rare rode vlekken. 'Tyfusvlekken' noemt hij die. John lacht. Dan vertelt de dokter hem wat hij moet doen als ze onderweg gecontroleerd worden door de Duitsers. 'Hou je ogen gesloten, kreun zachtjes en laat mij het woord doen. We brengen je zogenaamd naar het ziekenhuis in de stad.' Hij herhaalt het voor John in het Engels en deze slaat zich op zijn knieën van pret, tot verbazing van de anderen. Hoe kan die man zo nuchter reageren, terwijl er zoveel op het spel staat? Maar het is duidelijk, de man heeft al wat meer meegemaakt als vliegenier tijdens deze oorlog.
Voor alle zekerheid dragen de boer en Dirk de 'patiënt' naar de auto en leggen hem op de achterbank. Deze heeft voor die tijd iedereen uitvoerig bedankt voor de hulp, en de oudjes De Wijs sterkte toegewenst. Gelukkig gaat het De Wijs zelf een stuk beter, de kuur schijnt aan te slaan.
Dan verlaat de auto het erf, met Fleur in verpleegstersuniform fier naast de arts gezeten.
Ze rijden de oprijlaan door en gaan dan met grotere vaart over de verharde weg richting het vroegere dorp van Fleur. In een goed uur kunnen ze daar zijn.
Het is een mooie middag en Fleur geniet erg van de rit. Soms roept Horbach wat in het Engels naar zijn patiënt, maar het meeste ontgaat Fleur, omdat ze die taal onvoldoende beheerst. Ze komen door een dorp waar ook al weinig vertier is. Op de akkers is hier en daar wat bedrijvigheid, soms worden er nog aardappelen gerooid of haalt een boer wat wortelen van zijn land.
Als zij dit dorp willen verlaten, zien ze beiden een meter of vijf-

tig voor zich plotseling een Duitse soldaat op de weg een stopteken geven.
'*Troubles, John*,' klinkt het zacht uit de mond van de arts. John begint alvast lichtjes te kreunen.
'Zitten blijven, Fleur en laat mij het woord doen,' zegt de arts rustig. Maar Fleur voelt haar hart in haar keel kloppen.
De dokter stopt, draait het raampje naar beneden en zegt: '*Tag, Herrn.*'
'*Ausweis bitte.*'
Verdorie, denkt Horbach, als ze nu dat maar niet aan alle inzittenden vragen, want dan zijn we de klos. Horbach geeft zonder blikken of blozen zijn paspoort. De soldaat kijkt er vluchtig in, vraagt dan: '*Wohin fahren Sie*?'
'*Nach dem Krankenhaus, wir haben eine sehr kranke Person mit tyfus*,' zegt de arts.
'*Was*?' klinkt het en de soldaat buigt zich voorover en kijkt door het achterraampje. Dan klinkt het fel: '*Durchfahren, schnell bitte*!' En alsof de ziekte door de ruiten heen nog besmettelijk kan zijn, doet hij twee passen achteruit en roept tegen zijn compagnons: '*Tyfus... Kranke.*' Deze doen onwillekeurig ook een paar passen opzij en wenken de arts door te rijden. De dokter geeft gas, draait het raampje weer omhoog en roept: '*Okay, John.*'
Deze houdt prompt op met kreunen en zegt iets wat Fleur niet verstaat. De dokter blijkbaar wel, want die schiet in de lach. Dan durft ze zelf ook weer adem te halen, want ze was wel geschrokken, zij had geen persoonsbewijs gehad. Ze zegt het tegen Horbach.
'Ja meiske, dan moet je er toch wel eentje halen op het gemeentehuis, zeker als je nog meer tochten meegaat en vooral 's nachts na spertijd.' Ze belooft er morgen gelijk werk van te maken.
Nu duurt het nog maar even voor zij de voor haar bekende omgeving ontdekt. Kijk daar, die bossen, daarachter ligt haar huisje, zegt ze tegen de arts. Die knikt. Na een bocht slaakt ze een kreet als ze de kerktoren ontwaart. Ze had niet gedacht dat het weerzien haar nog zoveel zou doen.

In het dorp is niet veel veranderd, ziet ze. Ze stoppen bij het huis van de schoolmeester. Deze heeft hen blijkbaar al gezien, want hij komt naar buiten. Fleur stapt even uit en begroet de meester hartelijk.
'Maar meidje... wat een hele dame ben je zo en nog wel in uniform!' Dan reikt hij de arts de hand, kijkt even achterin en zegt: '*Hello, boy*.' Deze antwoordt: 'Hello, sir. Dan stapt de meester voorin en schuift op de bank naast Fleur. De wagen zet zich weer in beweging.
'Nou meidje, nou ga ik je eerst wat opbiechten,' zegt de meester tegen Fleur.
Fleur kijkt verbaasd de ander aan. De meester haar wat opbiechten? Hij kijkt haar aan en gaat verder: 'Ja. Dadelijk gaan we naar voor jou bekend terrein. Ik zal het maar meteen zeggen, we gaan naar jouw huisje.'
'O, wat heerlijk, meester! Ik had anders aan de dokter willen vragen er even langs te rijden.'
'Zozo,' reageert de meester lachend. Dan kijkt hij weer ernstig. 'Maar er is nog iets wat ik je opbiechten moet.' Hij waarschuwt de dokter: 'Hier links, dokter, de zandweg op.'
'Ja, en dan steeds rechtdoor,' vult Fleur automatisch aan.
De meester schiet weer in de lach. 'Juist, en bij jouw woning moeten we nu zijn, Fleur.'
'O ja?' klinkt het nog steeds verheugd.
'Ja, want tot nu toe zonder jouw toestemming gebruiken we de woning om piloten te laten onderduiken, en een goede kennis van je brengt ze 's nachts de grens naar België over.'
'Harm!' flapt Fleur eruit.
'Precies,' antwoordt de oude man. Hij kijkt gespannen naar Fleurs gezicht. Hoe zal ze reageren op dit bericht?
Fleur lijkt opgetogen. 'O, meester wat vind ik dát fijn, dat hij dat doet.'
'En je huis dan, wat zeg je daarvan, dat we het daarvoor gebruiken?' vraagt de meester.
'Prima, meester... Vooral als het ontdekt zou worden. De Duitsers zijn in staat het in brand te steken, en dan kan beter mijn huis eraan gaan dan dat van Harm, nietwaar?'

De meester knikt, dan gaat hij verder: 'Harm woont niet meer thuis, hij is jachtopziener bij de baron en woont in diens dienstwoning.'
'Wat? Harm koddebeier?' reageert Fleur verbaasd, en ze slaat zich van plezier op haar dijen. 'Harm, die stroopte en smokkelde voor de kost, zoals zijn vader?'
De meester knikt. 'Ja, Fleur, toen de oude jachtopziener plotseling overleed, bedacht de baron: Wie zou nu beter mijn gebied tegen stropen kunnen beschermen dan een stroper, die alle klappen van de zweep kent? Dus benoemde hij Harm. En Harm had een sleutel van jouw huisje om de boel voor je na te kijken, en zodoende zitten er nu twee piloten in en deze is nummer drie. Morgennacht neemt Harm hen mee, de grens over. De baron, die net als ik hier ook in het verzet zit, juicht het alleen maar toe. Hij weet hoe Harm als geen ander de streek naar de grens kent.'
Dan klinkt de stem van de arts. 'Hoe zit het, komt die woning nog, of is die van de aardkloot verdwenen? Allemachtig, wat een rimboe! En hier ergens heb jij gewoond, Fleur?' De arts kijkt haar van opzij aan.
'Ja dokter, nog even, die bocht om en dan bent u er zo,' wijst Fleur.
'En moest je dat stuk dan vroeger lopen naar school?'
'Ja, met Harm. Kijk, die woonde dus hier links in deze woning, en die van ons ligt honderd meter verder.'
Gespannen tuurt Fleur door de voorruit. 'Daar!' roept ze opgetogen als haar huisje rechts in beeld komt. Als de wagen stopt, stapt eerst de meester uit. Hij kijkt om zich heen, buigt zich voorover en roept: '*Come on, John, your new house, the house of Fleur.*'
Fleur staat al aan de wat verwilderde heg en kijkt in haar tuintje. Het valt mee, maar dat kan ook door het late seizoen komen natuurlijk. Dan begeven ze zich naar het huis en daar wordt door iemand al de deur geopend.
'*Hello, sir.*' De persoon geeft de onderwijzer een hand. Deze stelt Fleur en de dokter en ten slotte de 'patiënt' aan de anderen voor. Vooral John wordt met gejuich begroet. Ze lijken

elkaar te kennen, want ze slaan elkaar als oude kameraden op de schouder. De twee andere piloten heten Dave en Barry en al snel zitten ze in een geanimeerd gesprek met John.
Fleur kijkt rond. Veel is er niet veranderd. Dan loopt ze de aanbouw in. Ook hier is bijna alles bij het oude gebleven, alleen is er geen geit meer. Daarna gaat ze nieuwsgierig haar opkamertje in. Daar huist duidelijk iemand, want er liggen een boek en een pyjama en wat kleren op het bed.
'En?' vraagt de meester. 'Valt het je mee of tegen?'
'Mee hoor, alles is nog precies als vroeger en het ziet er ook redelijk goed uit,' zegt Fleur tevreden.
'Ja, de heren moeten zelf de boel schoonhouden en doen dat ook.'
'Nou,' zegt Horbach, 'dan smeren we 'm weer, want er is nog genoeg te doen.'
Ergens vindt Fleur het jammer dat ze zo snel weer vertrekken, maar ze beseft dat de arts terug wil naar zijn praktijk.
'Jammer, meester, dat Harm er niet was, ik had hem graag even gesproken... Maar u doet hem toch wel de groeten van mij?'
'Zeker, meidje, dat zal ik doen.'
Dan worden handen geschud, de drie piloten bedanken de meester en dokter Horbach en Fleur. Alleen John trekt haar heel even tegen zich aan en zegt: '*Thank you, Fleur, for all you did for me.*' En hij drukt haar op beide wangen een zoen. Fleur kleurt. Wat lief van hem, denkt ze. Maar de andere twee hebben in rap Engels commentaar op John. Dan verlaten ze de woning. John is degene die hen nawuift en daarna de deur sluit.
Even nog kijkt Fleur achterom, ze prent alles als het ware in. Fijn dat ze er even geweest is. De meester, die nu achterin zit, vraagt haar: 'En, Fleur, kun je ermee leven dat we je woning gekraakt hebben?'
'Ja hoor, meester. Geweldig toch, dat het voor zoiets moois kan dienen? Ik denk dat vader en moeder daarboven het niet anders gewild hadden, hoor.'
'Dat denk ik ook, Fleur, ja, dat weet ik wel zeker.'
Bij de woning van de meester volgt een hartelijk afscheid. Nee,

de dokter gaat niet mee naar binnen, hij heeft het druk en dit kostte toch al een halve middag.
'Het ga jullie goed en Fleur, kom je nog eens aan in de toekomst?' Fleur knikt. Ze steekt haar hand op als groet en dan zoeft de auto terug naar Heidelust.
De controlepost onderweg staat er nog, maar ze herkennen de arts en wenken al tijdig dat die door mag rijden, zelfs zonder tyfuspatiënt.
En zo begint voor iedereen weer het werk van alledag.

De herfst valt in met gure, natte buien en het is maar goed dat het meeste gewas van het land is, want de akkers zijn doornat en laten niet toe dat er met voertuigen op gereden wordt. Alleen de knolraap en wat spurrie staat er nog bij Heidelust. Maar het eerste moet toch met de hand worden uitgedaan en de spurrie kan ook gesneden worden met een mes, al is het meer werk.
Op een avond zegt de boer plotseling, als de boerin en Fleur wat verstelwerk verrichten: 'Hoe denken jullie erover als wij twee kleine meisjes voor een aantal weken in huis zouden krijgen?'
Twee paar verbaasde ogen kijken de ander aan. 'Wat?' vraagt de vrouwe, alsof ze de vraag toch niet goed gehoord heeft. Wolters herhaalt wat hij gevraagd heeft.
'Hoe kom je daar nou aan?' vraagt de boerin en ze legt haar handen even werkeloos in haar schoot.
'Tja, de pastoor heeft een verzoek gekregen van een studiegenoot in Rotterdam. De kinderen daar zijn zwaar ondervoed, omdat er niet genoeg eten is, en met de winter voor de deur wordt het alleen maar erger. Bovendien hebben sommige kinderen door het bombardement hun ouders verloren en zitten ze in een soort weeshuis, wat ook al niet voldoende eten heeft voor al die kinderen. Ze doen hun best, maar het is te weinig. Nu vraagt die pastoor hulp aan zijn collega's. In elke parochie hoopt hij zo een aantal kinderen kwijt te kunnen, zodat ze even het oorlogsgeweld kunnen ontvluchten en tegelijkertijd door goed voedsel wat kunnen aankomen, die bleekneuzen. Hij

heeft er al vier in het dorp ondergebracht, maar zit nog met een tweeling, die hij niet uit elkaar wil halen. Vandaar.'
'O, wat schattig, een tweeling,' flapt Fleur eruit. De vrouwe kijkt haar man aan. Eigenlijk weet ze al dat hij de pastoor de toezegging gedaan heeft. Maar zelf moet ze er niet aan denken dat haar eigen kind in een weeshuis zat. Goed, ze heeft nu ook zorgen om hem, maar dat zijn andere zorgen.
Dan vraagt ze: 'Zijn het Joodse kinderen, Kobus?'
De boer schudt heftig zijn hoofd. 'Nee nee, gewoon Nederlandse kinderen die hun ouders verloren hebben.'
'Goed dan,' gaat de boerin akkoord. Ze kijkt naar Fleur. 'Wat vind jij, Fleur?'
'Jazeker, vrouwe. Heerlijk, kinderstemmetjes op de hoeve, en dan nog wel een tweeling, het lijkt me mieters.' En boer en boerin zien aan haar gezicht dat ze straalt en zich er erg op verheugt.
'Fijn, dan bel ik de pastoor op dat het goed is. Overmorgen komt het stel aan.'
En terwijl de boer naar de telefoon in de gang loopt, kijkt Fleur de boerin met glanzende ogen aan en vraagt: 'Mogen die twee naast me op de logeerkamer slapen, vrouwe? Als er dan iets is, ben ik vlug bij ze, want in het begin zal het wel wennen zijn voor die kindjes.'
'Ja, dat lijkt me een goed idee, Fleur. Maak morgen daar de boel maar in orde, er staat toch een groot bed voor twee personen.'
Fleur glundert van oor tot oor. Een tweeling! Hoe zal Bets reageren? Afijn, dat is van later zorg.

Twee dagen later, op een zonnige middag, komt de pastoor de tweeling naar Heidelust brengen. Twee identieke meisjes staan wat verlegen naast hem op het erf. De pastoor draagt hun tassen. Hector verkondigt dat er indringers zijn, en al snel gaat de deur open en komt de boer naar buiten.
Direct achter hem verschijnen de boerin en Fleur in de deuropening, en zelfs Bets komt even kijken. Ze begroeten de pastoor haastig, daarna gaat hun aandacht meteen naar de meisjes.
'Ach, wat een schatjes, vrouwe,' zegt Fleur en knielt naast een

van de meisjes neer. 'Ik heet Fleur, en hoe heet jij dan?'
Twee donkere, wat schuwe oogjes kijken de vreemde juffer aan, en pas als Fleur het vriendelijk nog eens probeert, zegt het meisje timide: 'Grietje.'
'Tjonge, wat een mooie naam, zeg! En je zusje?'
'Rietje,' komt het er wat moediger uit.
'Ook al zo'n mooie naam,' zegt Fleur, en ze komt overeind.
'Jaja, mensen, jullie gasten heten Rietje en Grietje,' lacht de pastoor. 'En ze komen helemaal uit Rotterdam.'
Hector, die in de gaten heeft dat het goed volk is, is er maar weer bij gaan liggen. Dan verhuist het hele stel naar de keuken. Fleur plant het tweetal op de bank naast elkaar en gaat erbij zitten.
'Wel,' vraagt de boerin, 'wat lusten jullie te drinken? Melk of thee of koffie?'
Maar de twee zwijgen en kijken elkaar aan.
'Of...' zegt Fleur, 'of chocolademelk misschien?'
Tegelijk, alsof ze dat hebben afgesproken, knikken beide meisjes heftig van ja. En dan ontspannen ook de gezichtjes. De pastoor drinkt koffie mee en neemt van de boer een goeie sigaar aan. En terwijl Bets zich bekommert over de koffie, haast Fleur zich om twee bekers dampende chocolademelk te maken.
'En lusten jullie er ook peperkoek, bij?' vraagt de boerin. De twee lachen en knikken, maar zeggen nog niets. De boerin snijdt twee dikke plakken af, doet er boter op en reikt ze aan de tweeling. Zonder schroom zetten ze tegelijk hun tanden in de lekkernij.
'Kijk toch eens, die gezichtjes,' zegt Fleur verrukt. 'Och toch, wat een schatjes!' En ze neemt weer plaats naast hen. 'Voorzichtig, het kan nog te warm zijn, hoor,' zegt ze als er eentje de beker pakt. Het valt zeker mee, want met een verheerlijkt gezicht proeft het meisje met kleine teugjes de lekkernij, gevolgd door haar zusje.
Langzaam ontdooien beide meisjes, vooral als ze de poes ontdekken. Is het Grietje of Rietje, men weet het al niet meer, die als eerste zachtjes de poes over haar vacht aait? Die begint tot vreugde van de twee te spinnen. Dan durft nummer twee ook.

Daarna waagt het stel eens rond te kijken in hun nieuwe behuizing. Als alles op is, zegt de boerin: ‘Zal Fleur jullie slaapkamer eens laten zien?’
De twee knikken en hand in hand gaan ze Fleur achterna, de trap op. Ze zijn vier, heeft de pastoor gezegd. Ze kunnen al aardig omhoogklimmen, boven nog een keer, maar dat vinden ze niet erg, want ze zeggen dat vroeger thuis ook zulke grote trappen waren.
‘Nou, kijk eens wat een grote kamer, hè?’ zegt Fleur en ze toont hun de logeerkamer. ‘Oh,’ zegt een van de meisjes, ‘wat een groot bed.’
‘Ja, voor jullie samen, probeer maar eens.’ Ze kijken elkaar aan, kijken dan naar hun schoentjes. ‘Och, wat dom van me. Die schoentjes moeten natuurlijk uit,’ zegt Fleur en snel bukt ze en doet hun schoentjes uit. Dan springen ze op het bed. Ze hebben dolle pret als ze op het bed op en neer gaan springen, als op een trampoline. Zó, denkt Fleur, die zijn los, prachtig. Dan zegt ze: ‘Willen jullie ook mijn kamer zien?’ Beide meisjes knikken en zien dan, dat die kamer naast de hunne is.
‘Nou, als er eens iets is, roep je maar en ben ik zo bij jullie, dat is fijn, hè?’ De tweeling knikt.
En zo doen ze de komende uren onder leiding van Fleur allerlei indrukken op. De beesten schrikken hen nog even af, maar de kippen vinden ze wel leuk. Van de haan moeten ze niets hebben. De paarden durven ze te aaien en Hector, die door Fleur tot de orde wordt geroepen, heeft wel in de gaten dat hij van dat stel geen onheil hoeft te verwachten.
Is het nou Rietje of Grietje, die hem het eerst over de kop durft te aaien? Wel is het steeds dezelfde die als eerste reageert op iets.
Het hoeft nauwelijks betoog dat de kinderen ’s avonds na een goede maaltijd doodmoe in bed verdwijnen. Het is helemaal feest als Fleur hun ook nog een verhaaltje voorleest. En terwijl ze daarmee bezig is, ziet ze eerst de een, dan de ander de oogjes dichtdoen.
Heerlijk, denkt Fleur, die zijn in dromenland. Beneden vertelt ze aan de boer en boerin en Dirk dat de twee slapen als een

roos. Dan vindt ze het verstandiger zelf ook naar haar kamer te gaan, je kunt nooit weten of ze wakker schrikken en niet gelijk beseffen waar ze zijn.
Voor het geval dat de meisjes wakker worden laat ze haar slaapkamerdeur op een kier staan.
Ze hoort echter later niet dat de vrouwe naar boven komt en even de deur opent van de tweeling om te kijken hoe het gaat. Een glimlach breekt door op haar gelaat, als ze de twee ineengestrengeld ziet liggen.
Ja, een meisje had ze eigenlijk zelf ook nog wel gewild. Maar helaas...

HOOFDSTUK 11

De tweeling brengt een tijdlang een andere sfeer op de hoeve. Zelfs de boerin en Bets mogen de twee hummels graag. Het is ook koddig om te zien hoe zij alles samen doen en ondernemen. En zie je de een, dan kan de ander geen vijf meter verderop zijn. Alleen Fleur heeft het er erg druk mee. De hele dag is het Fleur voor en Fleur na. Ze hangen als het ware aan mijn rok, merkte ze eens op tegen haar bazin.
Je ziet ze ook elke dag er beter uitzien. Soms vertonen ze de kleur van de bellefleurappel, zo rozig zijn dan hun wangetjes als ze binnenkomen. De bleke neusjes zijn verdwenen en ook zijn beiden kilo's aangekomen. Maar het slechte nieuws is, dat elke groep maximaal een maand mag blijven en dat zij dus weer snel terug moeten. Fleur en zelfs de boerin moeten er niet aan denken. Ze durven het nauwelijks aan de twee te vertellen en stellen dat zo lang mogelijk uit.
Eerst vieren ze nog het Sinterklaasfeest. En als de meisjes 's morgens de cadeautjes op de tafel in de goeie kamer zien staan, klappen ze van pure vreugde in hun kleine handjes. En beiden krijgen bijna hetzelfde. Ieder een heuse pop, die hadden ze nog nooit gehad. Ook krijgen ze elk een letter van taaitaai, Rietje een R en Grietje een G. Ten slotte krijgen ze elk een spel. Rietje krijgt mens-erger-je-niet en Grietje hoedje-pik. Die avond kan Fleur er niet onderuit om de spelletjes uit te leggen en met hen te spelen. Dolle pret, als ze Fleur bij mens-erger-je-niet nèt van het bord gooien voor ze met een pion binnen is,
Bij hoedje-pik rollen hun de traantjes over de wangen, als Fleur met de leren beker hun pion aan een touwtje niet onder de beker vangt. Dat ze weleens extra misslaat, ontgaat het stel.
's Avonds bij het naar bed gaan, als Fleur nog een klein verhaaltje heeft voorgelezen, hangen ze zoenend om haar nek, omdat ze zo'n mooie dag gehad hebben. Maar Fleur krijgt vochtige ogen. Ze doet wel opgewekt, maar als ze van hun kamer af is, schiet ze huilend de hare op en valt voorover op haar bed. Volgende week moeten ze gaan en dat is voor haar onverteerbaar.

Als ze later weer naar beneden gaat, is ze stil en ontdaan. De vrouwe kijkt haar eens aan en ook de boer ziet wat aan haar. Ten slotte vraagt de boerin: 'Is er wat, Fleur, je kijkt... je bent zo...'
Dan kan Fleur zich niet meer inhouden. Ze huilt bittere tranen. Haar schouders schokken, ze legt haar hoofd op tafel. De boerin legt een arm over haar heen. 'Kom, Fleur, zeg maar wat er aan scheelt. Misschien kunnen we je helpen.'
'Tuurlijk,' oppert de boer vanachter de krant. Maar Fleur schudt slechts met haar hoofd. Als ze uiteindelijk wat bedaard is, komt het er hortend en stotend uit: 'De meidjes... de twee... de... tweeling,' snikt ze na. 'Volgende week moeten ze weg, dat kan ik niet...' en weer komen de waterlanders tevoorschijn. Maar niet alleen bij haar. Ook de boerin houdt het bij die gedachte niet droog en huilt een potje mee.
'Nounou,' probeert Wolters de boel wat te sussen. 'Ze gaan Nederland niet uit. We kunnen ze toch eens opzoeken, of beter, ze uitnodigen om op vakantie te komen? Zeker als ze later schoolvakanties krijgen.'
Fleur kijkt de boer blij verrast aan. 'Mag dat dan, baas?' En hoopvol is haar blik op hem gericht. 'Natuurlijk! Ik zou niet weten waarom niet. Wat jij, vrouw?' Deze knikt, wrijft met een zakdoek haar tranen weg en zegt: 'Natuurlijk, dat is het! Als ze later een week of langer vakantie hebben, gaan we ze halen, Fleur en dan brengen we ze naderhand weer terug.'
Met die gedachte kan Fleur leven en daarna verlaat ze met een minder zwaar gemoed de keuken, na ieder welterusten gewenst te hebben. Boven kan ze het niet nalaten om net als de boerin, even om de hoek van de deur naar de slapende tweeling te kijken. Dan probeert ze haar eigen slaap te vinden.

De week daarop besluit de boer dat hij de tweeling zelf naar het dorp brengt, met de brik. Hij weet dat het alleen maar heftige taferelen geeft als de vrouwen meegaan. In het dorp zullen ze de vriendjes en vriendinnetjes ontmoeten, die ook allemaal teruggaan met de bus. Beide meisjes hebben een grotere tas dan waar ze mee gekomen zijn, want ze krijgen allebei nieuwe

kleertjes mee. En de boer heeft een groot pak voor het weeshuis, met spek, hammen, worsten en een grote ronde kaas. Die moet de begeleiding meenemen, om daar de eerste nood te lenigen. Ze hebben de tweeling uitgelegd dat ze weer even teruggaan naar Rotterdam, omdat er nu ook andere kindjes aan de beurt zijn. 'Maar daarna,' heeft Fleur plechtig beloofd, 'komen jullie weer op vakantie!' En zowaar hadden ze samen staan juichen. Want op vakantie waren ze nog nooit geweest. Ze vonden trouwens de brik met het grote zwarte paard ervoor helemaal het einde. Dirk op de bok en de boer op de bank, met aan elke kant een logé. En terwijl de tranen weer bij de vrouwen over de wangen lopen, zwaait het tweetal hun uitgelaten gedag, alsof ze een ritje gaan maken.
Paard en wagen zijn al de oprijlaan uit, de harde weg op en eigenlijk uit het zicht, als de vrouwen nog staan te wuiven. Ten slotte begeven ze zich maar naar binnen en doet de warmte van de keuken hun toch goed. Maar een zware dag zal het worden, beseft elk van hen.

Dan komen er in het jaar 1944 steeds meer berichten dat de geallieerden terrein winnen op de Duitsers. Het is Hitler niet gelukt Rusland te veroveren en het gevolg is, dat de Russen zelf ook oprukken naar Duitsland.
Men merkt op dat de Duitsers in het nauw komen. De maatregelen worden verscherpt en de sancties op overtredingen worden in de ogen van de dorpelingen heftiger en radicaler. Als verzet wordt opgespoord, volgt meestal ter plekke de doodstraf. Verraders loeren op elke mogelijkheid. Fietsen, auto's, paarden en wagens, alles kan de bezetter nu gebruiken, en zo niet goedschiks, dan kwaadschiks.
Razzia's zijn aan de orde van de dag. Goed, het dorp komt er nog redelijk van af omdat het zo afgelegen ligt, maar ook dáár voelt de vijand dat hij terrein verliest.
Zo staat er op een ochtend, als men het land wil bewerken omdat het weer dat toelaat en het lente is, plotseling een Duitse jeep op het erf. '*Der Bauer, wo ist er*!' wordt er op barse toon gevraagd. Dirk haalt zijn schouders op en gaat rustig verder

met het paard in te spannen. Dan snauwt de stem: '*Hé, Mensch, der Bauer, und schnell!*'
Dirk, die de moffen toch al niet kan uitstaan, knikt met zijn hoofd richting de boerderij. Dan grijpt de bevelhebber hem ruw bij de kraag en brult in zijn gezicht: '*Abholen!*' Even wil Dirk hem met zijn knuisten een opdoffer geven, maar de andere twee staan ineens met hun geweer in de aanslag. Dirk wil nog wat tegensputteren. '*Bitte*, zeggen ze bij ons als ze iets willen.' 'Rotmof' wil hij eraan toevoegen, maar dat slikt hij bijtijds in. Die soldaten kennen dat scheldwoord maar al te goed en tegen deze overmacht kan Dirk met zijn blote handen toch niet op. Daarom sloft hij tergend langzaam naar de deur, wat hem weer een por in de rug kost. 'Blijf met die rotklauwen van me af, ja!' zegt hij, terwijl hij zich half omdraait. Het is maar goed dat ze hem niet goed verstaan in het dialect en dat hij inmiddels de deur bereikt heeft.
Binnen is men door de hond geattendeerd en komt de boer juist de keuken uit als Dirk naar binnen wil.
'Die rotmoffen vragen naar je, baas,' mompelt Dirk.
'Rustig, Dirk,' antwoordt de boer, 'laat mij maar.'
'*Tag Herrn*,' vervolgt hij dan allervriendelijkst. '*Was gibt's los?*'
'*Sind Sie der Bauer?*' klinkt het.
'Ja,' beaamt Wolters die vraag en knikt.
'*Wir fordern euere Pferden und den Wagen*,' zegt de man en hij wijst naar de vierwieler op luchtbanden. De boer wordt bleek om de neus. Hij schudt zijn hoofd. '*Das geht nicht.*'
'*Doch!*' klinkt het fel. '*Und schnell!*'
Maar Wolters beseft dat ze een verordening moeten hebben voor zoiets. '*Lassen Sie mal die Papieren dazu sehen*,' vraagt hij. Even is het een moment stil, dan klinkt het ruw: '*Was Papieren? Scheisse Papieren, brauchen wir nicht.*'
'*Dann gibt es auch kein Pferd und kein Wagen*,' beslist Wolters. Maar het geintje duurt de commandant zeker te lang. '*Männer, nimm Pferden und Wagen mit*,' en hij wenkt een soldaat die naar de schuur moet zoeken naar andere paarden. Gelukkig is Mats met de merrie weg, flitst het door de boer heen. De soldaat komt dan ook hoofdschuddend terug.

'*Wo sind die andere Pferden*?' snauwt de commandant.
'*Haben sie schon mitgenommen voriges Jahr*,' antwoordt de boer ogenschijnlijk rustig, maar inwendig kookt hij.
Dan geeft de man het bevel dit span mee te nemen. Ruw wordt Dirk opzij geduwd en dan zet een soldaat de zwarte recht in de disselbomen en maakt alles vakkundig vast. '*Weg damit*,' klinkt het dan. Wolters staat met twee gebalde vuisten in zijn zakken. Daar gaat zijn trots, de vierwielige wagen en zijn zwarte. De soldaat springt op de wagen, de andere in de jeep en één richt zijn geweer op de verslagen en weerloze achterblijvers. In een mum van tijd zijn ze vertrokken. Dirk is de eerste die zijn mond opendoet.
'Die rotmoffen! Doodschieten zou je ze toch! Had ik maar een geweer gehad, baas, er was er niet één levend vanaf gekomen hier.' Maar de boer schudt zijn hoofd. 'Nee Dirk, ze zijn aan de verliezende hand en een kat in het nauw maakt gekke sprongen. Let op mijn woorden.'
De vrouwe komt kijken. Ze ziet de verslagen mannen staan en ziet ook in de verte hun span gaan. 'Hebben ze paard en wagen mee, Kobus? Nee toch!' Maar de boer knikt alleen maar. Vooral de zwarte, zíjn paard, gaat hem aan het hart. Nu kan hij wel naar die NSB-burgemeester gaan, maar hij kent diens antwoord al. *Befehl ist Befehl* en de Ortskommandant... Dan draait hij zich bruusk om. Zijn vrouw ziet dat zijn ogen vochtig zijn en het is lang, héél lang geleden dat ze dat voor het laatst gezien heeft.

En zo verlopen er weer een paar maanden, tot het grote nieuws over de verboden zender Radio Oranje schettert. De geallieerden zijn op 6 juni 1944 geland op de Franse kust in Normandië. De Duitsers bieden heftige tegenstand maar het plan Overlord werpt zijn vruchten af. Men spreekt over D-day, dat zou staan voor *decision*, dat is beslissing. Dus de beslissende dag.
De boer zit elk moment waarvan hij weet dat er een uitzending is, voor zijn radio boven. Ook de twee oudjes zijn opgetogen, zou de bevrijding in aantocht zijn?
Men volgt nu alles op de voet, en met elkaar en in het dorp gaan de gesprekken nergens anders meer over. De bombardementen

op Duitsland worden opgevoerd. Nu nog de genadeslag. Maar Hitler geeft zich zomaar niet gewonnen. Nieuwe jongere troepen worden naar de fronten gestuurd. Zestien- en zeventienjarigen zijn geen uitzondering. Na een korte opleiding gaan ze zó van de Hitlerjugend naar het front.
Grote delen van Frankrijk zijn al bevrijd, men zit zelfs al in België. Het kan niet lang meer duren of de geallieerden bereiken Nederland.
Maar het duurt tot 12 september eer de Amerikanen het dorpje Eijsden en twee dagen later Maastricht innemen. De euforie is groot, nu zal het gauw gebeurd zijn, denkt men.
Maar de Duitsers trekken alles terug tot de corridorlijn Eindhoven–Nijmegen, en houden daar nog maanden stand.
Wolters beseft dat zij hier in het zuidoosten van Brabant nog een harde winter tegemoet gaan en hij krijgt gelijk. Allereerst wordt het een natte herfst, gevolgd door een gure, bar natte winter. De nood is vooral in het westen, maar ook op andere plaatsen, hoog, erg hoog.
Op Heidelust heeft men wat eten betreft geen klagen, maar ze worden platgelopen door mensen die om voedsel komen.
Er zijn er die gouden sieraden willen ruilen tegen een paar kilo meel. Maar de boer beslist dat, wie er ook helpt op zijn hoeve, men gewoon de prijs dient te vragen, ook al weet hij uit verhalen van de gedupeerden dat er collega's zijn die de mensen uitbuiten. Hij heeft er geen goed woord voor over.
Die middag is het weer raak op de hoeve. Als Hector aanslaat, gaat Fleur kijken en ziet ze een tengere, schamel geklede vrouw het erf op komen. Ze knikt naar Fleur en gaat dan doodmoe op de bank zitten, in de kou.
'Kom toch verder, vrouwe,' nodigt Fleur. De vrouw staat op en loopt Fleur achterna naar de stal. De warme stal doet de vrouw zeker goed, want ze fleurt helemaal op.
'Ga maar zitten,' zegt Fleur en ze schuift een stoel haar richting uit. 'Belieft u misschien een beker warme koffie?'
De vrouw kijkt haar dankbaar aan. Je ziet haar denken: Dus er zijn ook nog zulke mensen. Jagen ze je hier niet het erf af? Laten ze de hond hier niet los? Maar als Fleur terugkomt en

haar de beker reikt zegt die weer: 'Nou, zeg het maar, wat hebt u nodig?'
Haperend klinkt het antwoord: 'Och, vrouwe, ik heb meel voor mijn zieke man en mijn kinderen nodig, we hebben niets meer te eten en ik heb slechts één gulden.' Haar ogen staan wanhopig, ziet Fleur. Ze vraagt: 'En u? Hebt u al gegeten vandaag?'
De vrouw schudt haar hoofd. 'Wacht,' zegt Fleur en ze beent naar de keuken. Even later komt ze met twee dikke boterhammen terug. De vrouw zet grote ogen op. Fleur neemt de beker van haar over en ziet tot haar ontzetting dat de vrouw het brood in haar jaszak duwt. 'Nee!' roept ze tot tranen toe geroerd, omdat ze beseft dat de vrouw het voor haar kinderen en man bewaren wil. 'Die zijn voor u, voor thuis ga ik nu halen. Blijf zitten en eet nu maar.' Ze zet de beker naast de vrouw en snelt naar de bijkeuken.
Daar heeft ze al van alles voor de verkoop staan. Maar aan geld denkt ze nu niet. In een jute zakje doet ze een flink stuk worst, pakt in vetvrij papier een stuk spek en een kluit reuzel, schept in een zak een kilo meel en doet wat sneden roggebrood in een stuk papier, maar voordat ze dat dichtvouwt legt ze een tientje uit haar eigen spaargeld boven op het brood. Ziezo. Jammer dat ze de gezichten vanavond niet kan zien van die man en kinderen.
Dan gaat ze terug naar de stal. De vrouw heeft alles opgegeten. Ze kijkt naar de jute zak. 'Voor u en uw man en kinderen,' zegt Fleur. De vrouw grabbelt in haar jaszak, eerst in de ene, dan in de andere. Dan haalt ze een gulden tevoorschijn en biedt die aan met de woorden: 'Dit is niet genoeg, maar ik heb niet meer, neem het alsjeblieft.'
Even kan Fleur door een brok in haar keel niet antwoorden, dan schudt ze haar hoofd. 'Bewaar dat maar voor later.' Dan reikt ze de vrouw de zak aan. Maar de vrouw schudt haar hoofd. 'Dat kan ik niet aannemen, zoveel, en anderen dan, die hier komen?'
'Die krijgen ook wat, vrouwe, hier,' en ze duwt de ander de zak in haar handen. Dan valt haar weer de schamele kleding van de vrouw op. Ze zegt: 'Ga nog even zitten, ik ben iets vergeten.'

Weer zoeft ze de keuken in. Ze vertelt de boerin wat ze gezien heeft en vraagt of zij haar grote, dikke omslagdoek aan die vrouw mag geven.
'Het is jouw doek, Fleur, als jij meent er goed aan te doen,' zegt de boerin. Maar Fleur hoort haar al niet meer. Ze vliegt naar boven en komt met de omslagdoek terug in de stal. 'Hier, tegen de kou,' zegt ze en ze slaat vakkundig de doek over de schriele schouders van de vrouw en knoopt het geheel goed vast. 'Is dat niet beter?'
De vrouw zet de zak op de stoel, grijpt met beide handen Fleurs armen en stamelt: 'Vrouwe toch... gij zijt té goed, dat God het u later moge lonen.' Ze kust Fleurs beide handen. Dan neemt ze haar zak en kijkt nog één moment de ander in de ogen. Ze prevelt nog wat, wellicht een of ander gebedje, en verlaat de deel. Fleur is diep door het voorval geraakt. Ze kijkt haar na en ziet dat de vrouw zich aanmerkelijk vlotter voortbeweegt dan toen ze kwam. Het heeft haar goed gedaan, bedenkt ze, en een groot, warm gevoel maakt zich van haar meester. En mij dus ook, beseft ze!

HOOFDSTUK 12

De herfst toont allerlei nukken in 1944.
Zware regenval wordt afgewisseld met hagel en lichte sneeuwbuien. Een gure noordoostenwind blaast over de weiden en akkers en maakt het echt waterkoud.
En in die weersomstandigheden vechten de geallieerden tegen de Duitsers. Meer en meer verliezen deze laatsten terrein. Uiteindelijk beslist de Duitse bevelhebber in het zuiden om zich terug te trekken en te hergroeperen in Zuidoost-Brabant. Op Heidelust en in het dorp zien zij de Duitsers in grote haast de aftocht blazen, richting de Maas, naar het gebied Venray en Overloon. En daar, in die bossen van Overloon, graaft de 107-de Pantserdivisie van de Duitsers zich in, gesteund door Fallschirmjägers. De gallieeerden stuiten daar eind september op grote tegenstand. De bevolking van Overloon moet dan evacueren van de bezetter.
Het slechte weer maakt het terrein in en om Overloon tot één grote modderpoel. Tanks lopen vast in de blubber en er zijn dagen dat vooral de Britse infanterie geen kilometer terrein wint. Het zal een langdurige strijd worden, beseft eenieder. Dat merkt men ook op Heidelust. Een Britse officier in een jeep maakt de boer duidelijk dat hij de grote schuur nodig heeft om een deel van zijn bataljon bij te laten komen van de vermoeienissen omtrent de Slag om Overloon.
Vanavond zullen zij doodmoe hier arriveren met zo'n kleine dertig man, en of de boer daar maar rekening mee wil houden. Wolters heeft daar geen enkele moeite mee in deze tijd van het jaar. Hij geeft Mats en Dirk de opdracht de boel zo te ruimen, dat de groep voldoende plaats zal hebben om hun veldbedden en keuken op te slaan.
Maar het bataljon dat tegen de avond aankomt op de hoeve tart elke beschrijving. Het bestaat uit veelal jonge mannen, hun gevechtstenues vol modder. Ze hebben baarden van dagen, misschien wel weken, en donkere kringen om hun ingevallen ogen waarin elke glans ontbreekt. De gevechten hebben diepe sporen achtergelaten op deze manschappen. Op de hoeve staan

ze verbijsterd toe te zien hoe de mannen zich uitgeput op de balen stro laten neervallen. Alleen één man – zeker de luitenant – is driftig in de weer om orde in de warboel te scheppen. Tot verbazing van de boer spreekt de man redelijk Nederlands en hij verstaat het prima. De boer overlegt met deze Bruce Mason, want dat blijkt zijn naam te zijn.
Dan beveelt de boer Dirk en Mats om de veldbedden van de jongens op te zetten. Bets en Fleur moeten de gaarkeuken maar bedienen, zodat de jongens vanavond nog een warme hap krijgen. Ze nemen maar desnoods spullen uit de boerderij. Fleur moet de bruspot vol met heet water stoken, zodat de mannen zich na lange tijd warm kunnen wassen. Tot haar ontzetting ziet Fleur enkele gewonden, slecht verzorgd met vuil verband. Ze haalt haar EHBO-spullen en warm water en schone doeken. Dan knielt ze neer bij de soldaat die er in haar ogen het slechtst aan toe is.
De man heeft een vuile doek met bloed om zijn voorhoofd en ligt uitgeteld op het stro. 'Kom,' zegt ze, 'ga daar maar liggen,' en ze wijst een veldbed aan dat Mats gereed heeft gezet. Maar de soldaat reageert niet. De luitenant ziet het en zegt tegen hem: '*Come on, Dave, the girl will help you.*' De soldaat komt wankelend overeind en Fleur en Bruce leggen hem gezamenlijk op het bed. 'Dank je,' knikt Fleur naar Bruce. 'Graag gedaan,' klinkt het en Fleur kijkt verrast op in een paar lachende, donkere ogen. Dat is de eerste die hier lacht, flitst het door haar heen. Dan buigt ze zich over haar patiënt. Ze is uren bezig, vergeet haar andere werk, maar er is niemand die daarover valt, zelfs de boer en boerin niet. Deze laatste sjouwt zelf met Bets tuiten vol warm water aan, opdat de eersten zich kunnen wassen.
Bruce heeft met enkele anderen een groen zeil gespannen, waarachter zij enige privacy hebben als ze zich willen wassen en verschonen. De eersten hoort ze poedelend en met veel aah's en ooohs zich te goed doen aan het warme water. Maar ze heeft ander werk. Gelukkig zijn er ook bij met alleen wat schaafwonden, die enkel gezuiverd behoeven te worden. Aan de laatste, die rond hinkelt, vraagt ze wat er aan scheelt. Maar

hij begrijpt haar niet. Zoekend tasten haar ogen de mannen af naar Bruce. Dan roept ze hem.
'Wat is het?' zegt hij met een grappig Engels accent.
'Wat mankeert hij?' vraagt Fleur en ze wijst naar de manke man.
'Ver... ja... ver...' Hoe heette dat ook al weer in het Nederlands? Hij maakt met zijn hand een knakbeweging. 'O, verstuikt,' zegt Fleur en ze kijkt de ander lachend aan.
'*Yes*, verstuikt,' komt het er nu vlotjes uit. Ze beduidt de man zijn kisten uit te doen. Ze ziet dan dat de enkel blauw en geel en dik is. '*Wait*,' zegt ze, want dat woord kent ze inmiddels. Ze snelt met een rol verband naar de pomp, maakt het gaas kletsnat en keert terug bij het slachtoffer. Dan wikkelt ze vakkundig zijn voet in en plaatst er daarna nog een rekverband stevig omheen. 'Klaar!' verduidelijkt ze de man.
'*Ready*?' vraagt deze. Fleur knikt, het zal wel hetzelfde betekenen. De man gaat staan, probeert een stap. '*Yes*!' klinkt het triomfantelijk. Hij komt naar Fleur, geeft haar een hand en zegt: '*You are a very, very nice nurse*!' Fleur lacht maar terug en denkt: Het zal wel, wat het ook moge betekenen.
De eerste jongens komen geschoren en wel en in schoon tenue tevoorschijn, en slaken daarbij kreten als '*lovely*' en '*wonderful*'. Tjonge, denken de bewoners van Heidelust, nu zien ze er toch heel anders uit. En zo gaat de een na de ander aan de slag met zijn uiterlijk. Bruce is door allerlei andere beslommeringen de laatste. Fleur en Bets staan de ene na de andere pannenkoek met spek te bakken, terwijl de boerin in een grote pan snert roert.
Als ieder zich opgedoft heeft, geeft Bruce het teken dat men om beurten langs de snert mag. 'Och gut toch,' zegt de boerin. 'Haal snel borden en bestek, Fleur!'
Deze wil vlug weg, maar ze voelt een arm die haar tegenhoudt. 'Niet nodig, dat hebben ze zelf.'
Ze kijkt om, het is Bruce. Wat ziet hij er nu knap uit, gewassen en geschoren en mooi golvend zwart haar en die donkere ogen... 'Ja... nee... juist ja,' hakkelt ze met een vuurrode kop. De ander lacht en zegt wat in het Engels. Dan komen de eersten

met hun ijzeren pannetje, waar een flink bord soep in kan. Zelfs de boerin geniet van de warme blikken die ze van de mannen ontvangt als zij de soep met kluif en worst opschept. En terwijl de eersten allerlei geluiden produceren die aan duidelijkheid niets te wensen overlaten, staan de laatsten begerig naar hen te staren, wachtend op hun beurt. En weer ziet ze Bruce als laatste gaan. Zij die dat willen mogen nog een schepje halen en dat doen ze allemaal, alvorens de bergen pannenkoeken aangesproken worden. De boer komt door het lawaai ook eens een kijkje nemen en staat verbaasd dat de mannen zich zo snel hersteld hebben. Bruce bedankt hem namens allen, maar daar wil de boer niets van horen. 'Morgen en de komende twee weken koken mijn eigen koks weer, hoor, nu waren ze te moe,' zegt Bruce. Het is de boer duidelijk, dat zou je ook wel zijn.

Dan, als iedereen verzadigd is en diverse soldaten genietend over hun buik wrijven, vraagt de luitenant even stilte. Hoewel de bewoners niet alles begrijpen, beseffen zij dat hij hun gevraagd heeft een dankgebed te doen, omdat zij hier in gezondheid deze maaltijd konden ontvangen. Diverse mannen slaan een kruis, ziet Fleur, anderen zijn een moment stil. Was er zojuist een hels lawaai, nu is enkel een geloei van de koeien hoorbaar. Daarna zegt Bruce nog iets. Allen kijken hem aan. Dan wendt de luitenant zich tot de bewoners.

'Ik probeer in jullie taal iedereen te bedanken: de mannen, de dames voor de heerlijke maaltijd, geweldig bedankt, namens ons allen.' Hij wijst naar zijn hele groep en als hij applaudisseert, breekt er een hels kabaal los. Ze klappen en stampvoeten en enkele jongens fluiten dat het een lieve lust is.

De bewoners zijn er allemaal een beetje beduusd van. Het is Fleur die durft te zeggen dat ze het allemaal graag gedaan hebben. Ze eindigt met: 'Jullie hebben het dubbel en dwars verdiend.' Bruce vertaalt het in het Engels en weer wordt er geklapt en gejoeld.

Dan zegt hij tegen de boer dat ze nu, ondanks het vroege uur, hun bed opzoeken. De laatste achtenveertig uur hebben ze bijna niet geslapen. De boer begrijpt het. Snel ruimen ze met z'n

allen de boel op en wensen de manschappen welterusten. Fleur hoort van Bruce dat 'goedenacht' in het Engels '*sleep well*' is. Dus schalt haar stem bij het afscheid: '*Sleep well, boys*!'
'*You too*,' klinkt het van alle kanten.
Dan sluiten de grote schuurdeuren zich en keert de rust weer op de hoeve. Nu kunnen ze eindelijk aan hun eigen werk beginnen dat was blijven liggen. Maar niemand van de bewoners maalt daarom. Zelfs de mannen niet.

De volgende ochtend is het nog onnatuurlijk stil in de schuur als Dirk zijn melkkar naar de straat rijdt. Tjonge, slapen die mannen nog? Dan moeten ze toch wel erg moe geweest zijn.
En inderdaad, pas tegen tienen laat Bruce zich als eerste buiten zien. Fleur, die juist terugkomt van het kippen voeren, ziet hem op het erf rondkijken.
'Goeiemorgen, goed geslapen?' vraagt ze.
'*Wonderful*! Eh... sorry... ge... geweldig,' antwoordt hij en hij lacht daarbij van oor tot oor. 'Maar waar is hier de bakker?'
'In het dorp.'
'Daar?' vraagt hij en hij wijst naar de kerktoren. Fleur knikt.
'Bedankt!' Hij lacht nog eens en springt dan lenig in een jeep. Hij start de motor en is met een zwaai verdwenen. Fleur kijkt hem even na.Wat een knappe man toch en zo aardig! Hector trekt aan de riem, want na de kippen is het zijn beurt en nou staat het vrouwtje daar maar te staan. 'Och ja, nou jij, hè?' lacht ze en ze aait hem over zijn ruige kop. Die Bruce ook.
Maar na twee dagen zegt ze dat al niet meer. Dan loopt ze in de avondschemering met hem over de veldweg, en dat is niet alleen omdat hij zo grappig Nederlands spreekt. Eerst vertelt hij dat hij haar taal spreekt door zijn Nederlandse moeder, die met zijn vader Mark Mason getrouwd is. Daarna dat hij onderwijzer is en dat hij het zijn plicht vond om stelling te nemen tegen de ideeën van die gek in Duitsland. En nu voert hij het bevel over zijn manschappen, een bataljon van de derde Britse Infanterie Divisie, gelegerd rond Overloon, waar nu een hevige slag gevoerd wordt met de Duitsers. Het dorp is sinds 27 september geëvacueerd. In de bossen hebben zich jonge Duitse

soldaten van zestien-, zeventien jaar in de toppen van de dennen genesteld met een geweer en een kist munitie, vastgebonden aan de stam, opdat ze, als ze door slaap overmand worden, niet uit de boom vallen. Fleur slaat verschrikt een hand voor haar mond als ze dit te horen krijgt. Al zo jong je leven voor het vaderland op het spel zetten! gaat het door haar heen. Maar de modder en de felle tegenstand en vooral het geschut van de zware Panthertanks van de Duitsers, maken de slag tot de eerste zware tankslag in Nederland.
'Mijn idee is, dat het nog weken gaat duren eer we de vijand verslagen hebben, Fleur. Dus zullen we over een dag of tien terug moeten naar dat front om onze jongens daar af te lossen. Dan krijg je nieuwe, leukere knullen op jullie boerderij, veel knapper dan ik,' besluit hij zijn lange relaas.
'Doe niet zo mal, Bruce, het gaat niet altijd om het knappe, maar om hier,' en ze wijst met haar hand naar haar hart.
'Je hebt gelijk, Fleur, vol... kom, hoe heet dat ook weer, vol... hè!'
'Volkomen,' grapt Fleur en ze kijkt hem glimlachend aan.
'*Yes*... volkomen gelijk.' En dan neemt hij vertrouwelijk haar hand en ze voelt even een fijn kneepje. Ze drukt zich al lopend tegen hem aan. Wat een heerlijk gevoel geeft dat. Het lijkt zo vertrouwd, alsof ze elkaar al jaren in plaats van drie dagen kennen. Héél anders dan toen met Gijs en Harm, maar die laatste was meer een schoolvriendje geweest.
En zo komen ze aan de rand van het grote bos. 'Kijk,' wijst Fleur, 'daar stond het zoeklicht van de Duitsers, en dat geschut,' en ze wijst op het uiteengespatte kanon, 'dat hebben ze opgeblazen toen ze halsoverkop wegvluchtten voor jullie.'
Bruce grinnikt, maar hij heeft meer oog voor haar dan voor die Duitse rommel. Hij staat tegen een boom geleund en trekt Fleur tegen zich aan. Dan vertelt hij van thuis, van zijn klas, zijn ouders en zijn wens om later een stel eigen kinderen te hebben. Verrast kijkt Fleur hem aan als hij daaraan toevoegt: 'Van jou, Fleur, alleen van jou.'
Ze drukt zich bij die woorden nog dichter tegen hem aan, en voelt zijn hand door haar weelderige haardos. Ze kan zo wel

uren blijven staan, denkt ze. De kou voelt ze allerminst. Er is een warm, ondefinieerbaar gevoel in haar gekomen, een gevoel dat ze nog nooit eerder gevoeld heeft, ook niet bij Gijs. Zou ze dat gevoel kunnen blijven houden? Dat zou heerlijk zijn!
De kerkklok slaat tien slagen en haalt Fleur uit haar trance. 'Joh, Bruce, al tien uur, ik moet nodig naar huis!' 'Spertijd', had ze willen zeggen, maar ze beseft bijtijds dat dàt gelukkig verleden tijd is. Hij laat haar even los. Zijn beide handen glijden om haar gezichtje. Heel zacht beroeren zijn lippen de hare, dan haar neus, haar ogen. O, wat een heerlijk gevoel vindt ze dat en ze drukt zich nog vaster tegen hem aan.
'Kom,' zegt hij, 'laten we teruggaan, ik wil geen herrie met je ouders.'
Fleur proest het uit. Bruce kijkt verwonderd. Dan zegt ze schaterend: 'Dat zijn mijn ouders niet, ik ben de tweede meid op de hoeve. Mijn ouders zijn dood.'
Bruce blijft abrupt staan. 'Dood?' fluistert hij. 'O, Fleur, wat erg! Ik zou me geen raad weten als mijn ouders er niet meer zouden zijn, en jij... jij bent zo vrolijk, zo...'
'Ja, maar het is al bijna tien jaar geleden van mijn moeder en mijn vader heb ik amper gekend, ik was nog een kleuter toen hij overleed.'
'Maar liefje toch...' zegt Bruce vol medelijden. Wat klinkt dat lief uit zijn mond. Nu zegt Fleur: 'Kom, Bruce, naar huis.'
'Jouw huis en mijn onderkomen,' verbetert hij haar. Maar ze schudt haar hoofd. 'Ons huis voortaan, oké?'
'Oké,' zegt de ander. En ze lopen gearmd terug naar de hoeve, waar alles al in diepe rust is.

HOOFDSTUK 13

Het zijn dagen waarin Fleur op een roze wolk leeft. Als er een zevende hemel bestaat, nou, dan zit ik er middenin, bedenkt ze. Haar gezicht straalt het ook naar buiten uit, voor iedereen is zichtbaar dat ze verliefd is.
Op de hoeve heeft iedereen daar zo zijn eigen mening over. De boer zegt dat Bruce een geweldige vent is, maar dat hij straks na de oorlog wellicht terugkeert naar zijn vaderland en wil ze dan mee misschien...?
De boerin lijkt wel jaloers, want ietwat snibbig had ze opgemerkt: 'Nou, pas maar goed op, meidje. Mannen zijn maar op één ding uit... je lijf. Zeker de soldaten, die hebben maanden geen vrouw gehad en zoeken een uitweg voor hun opgekropte gevoelens. Dat zag je wel aan die Duitsers hier. Nu lopen er in het dorp een paar van die moffenmeiden met een dikke buik. Maar de vogel is gevlogen. Is dat het dan wat je wilt?' Maar God nog aan toe, denkt Fleur, ik heb van zoiets bij Bruce nog helemaal niets gemerkt, dat spreekt mij juist zo aan in hem. Over mijn lijf of borsten is door hem niets gezegd, daar heeft hij zelfs niet eens op gezinspeeld.
Bets heeft het minste commentaar, zij zegt alleen: 'Je bent hopelijk oud en wijs genoeg om je niet te laten gebruiken.' Fleur vindt dat uit de mond van Bets zelfs een soort van compliment. Mats heeft zoals gewoonlijk nauwelijks enig commentaar, in tegenstelling tot Dirk. Toen er niemand bij was, had hij snerend opgemerkt: 'Nu ben je er zeker ineens niet vies van bij die Engelsen, maar goed, dan leer je dáár misschien je voortaan niet zo preuts op te stellen.' Het had geklonken als een soort vrijbrief voor hemzelf, voor als die soldaten hier eens vertrokken zouden zijn.
Maar zo lang duurt dat niet eens. Als Fleur deze ochtend naar de bruspot gaat in de bijkeuken, gooit Dirk er juist een schans neer.
'Nou, bedankt, Dirk, dan kan ik aan de slag,' zegt Fleur en ze wil zich bukken om het aanmaakhout aan te steken. Op dat moment voelt ze hoe Dirk twee armen om haar heen probeert

te slaan. Zonder er verder bij na te denken doet ze een stapje naar voren, draait zich ondertussen een kwartslag om en slaat met haar vlakke rechterhand hem vol in zijn gelaat. Even staat hij verbouwereerd, dan wil hij haar te lijf, maar op dat moment komt Bets juist met keukenafval voor de bruspot binnen. Met zijn hand voor zijn gestriemde wang verlaat hij grommend de bijkeuken. Fleur blijft trillend op haar benen onthutst achter.
'Wat mankeert die dan?' vraagt Bets en ze knikt met haar hoofd naar de deur die Dirk achter zich dichtsmijt.
'O, niets,' probeert Fleur nog, maar Bets is allesbehalve van gisteren. 'Jaja, dat wil je mij wijsmaken zeker, maar zal ik jou eens zeggen wat er gebeurd is?'
Nou, daar is Fleur zelfs onder deze omstandigheden nog benieuwd naar. Dus zegt ze niets en trekt vragend haar wenkbrauwen op.
'Hij probeerde je te grijpen, misschien wel onder je rokken, waar of niet?' Hoewel Fleur schudt met haar hoofd, zegt ze: 'Nou ja, wel grijpen, maar niet onder mijn rokken. Vóór hij daartoe de kans kreeg, heb ik hem een klap in zijn gezicht gegeven, maar misschien in mijn woede wel iets te hard, Bets.'
De ander haalt haar neus op. 'Het kan niet hard genoeg zijn voor die viezerik. Toen ik hier kwam, jaren geleden, heeft hij het bij mij ook geprobeerd, één keer, daarna nooit meer, daar heb ik wel voor gezorgd.'
Zo, denkt Fleur wat cynisch, zelfs bij jou? Ja, dan moet er bij die vent wel een steekje los zitten. Ze zegt: 'Nou, ik hoop dat hij tenminste leergeld gehad heeft en het voortaan uit zijn kop laat om mij nog lastig te vallen.'
'Pure jaloezie is het, Fleur, omdat je met Bruce gaat, anders niet. Kijk maar uit, want zo'n lieverdje is het niet, meer zeg ik er niet over.'
Als Bets verdwenen is, heeft Fleur alle tijd om over haar woorden na te denken. Het lijkt wel of Bets iets meer over hem weet, maar dat ze dat niet kwijt wil.
Als Fleur even later op het erf haar geliefde ziet, is ze het voorval allang vergeten en komt de roze wolk langzaam maar zeker terug.

En die avond, als ze samen weer van elkaars nabijheid genieten, kunnen noch Bets, noch Dirk een andere kleur wolk aan haar firmament doen ontstaan. Te meer daar Bruce voorstelt om zondag samen een ritje ten afscheid te maken in zijn jeep.
'O, wat heerlijk lijkt me dat, Bruce! Ik moet het nog wel binnen vragen, maar eigenlijk heb ik sowieso recht op één zondag per maand vrij en tot op heden heb ik die nog nooit genomen.'
Het blijkt ook geen enkel punt te zijn bij de boer en boerin, de eerste heeft haar zelfs op dat recht nog weleens gewezen.
En zo komt het dat na de hoogmis, waar Bruce en enkele soldaten zelfs aanwezig waren in hun uitgaanstenue, Fleur in haar nieuwe jurk haar opwachting voor hem maakt. Ze ziet er stralend uit als hij haar binnen in de keuken afhaalt. De lichtblauwe satijnen stof kleurt geweldig bij haar blonde haar en blauwe ogen. Het keurslijfje zit als gegoten om haar heen en doet haar taille extra goed uitkomen. De strook kant onder haar jurk geeft een extra cachet aan het geheel, en de pofmouwtjes staan schattig en maken haar zelfs nog jonger dan ze in werkelijkheid is. Niet voor niets fluit Bruce tussen zijn tanden, als hij haar daar zo ziet staan. Een *beauty*, niet alleen vanbinnen, maar de buitenkant mag er ook wezen. Hetzelfde denkt Fleur van hem, als ze hem in zijn uitgaanstenue voor zich ziet. Een knappe donkere vent, met mooi zwart, golvend haar. Maar het meest spreken haar zijn ogen aan.
'*Come, lady, it's time to go*,' zegt hij, en hij steekt haar zijn arm toe. Tot de anderen zegt hij: 'Tot vanavond dan maar weer.'
Fleur grijpt haar winterjas, want hoewel aan de jeep in de winterdag de zijpanelen bevestigd zijn en er een dak op zit, kan het daarbinnen toch behoorlijk trekken.
'Waar zullen we naartoe gaan?' vraagt hij haar. 'Jij kent hier de weg, dus jij mag het zeggen.'
'Echt waar?' vraagt Fleur opgetogen. Bruce knikt.
'Nou, dan zou ik graag naar mijn ouderlijk huisje gaan, en misschien even aanwippen bij de meester. Dat heb ik hem ooit eens beloofd. Maar ons dorp is wel een uurtje rijden, hoor.'
'*Okay, no problem*, als jij mij maar de weg wijst.'
Dat doet ze, en onderweg vertelt ze hoe ze een piloot met de

dokter naar haar huisje gebracht heeft en dat hij vandaar uit naar België werd gesmokkeld door haar vriend. 'Je vriend, *your boyfriend*?' komt het er ongelovig uit en ze ziet zijn gezicht even verstrakken. Ze schiet in de lach.
'Een schoolvriendje van de lagere school, toen was ik elf, twaalf jaar. Daarna heb ik hem nooit meer gezien.' En ze ziet hoe zijn gezicht nu weer ontspant en dat die zorgelijke trek volkomen weg is.
Ze wijst de plek van de controle aan en vertelt de grap over de tyfuspatiënt. Hij slaat zich van pret met één hand op zijn knieën.
'Jij deed dus aan *resistance*... eh... in Nederlands...'
'Verzet,' helpt Fleur hem.
'Juist ja, verzet. *Great*!'
Als ze haar dorp binnenrijden wijst ze hem de landweg naar haar huisje. Omdat de weg wat hobbelig is en de jeep niet al te best veert, matigt hij op verzoek van Fleur de snelheid. Gelukkig is het droog en maakt een flauw zonnetje het geheel wat aantrekkelijker.
'De eerste woning is het ouderlijk huis van Harm Bartels, mijn schoolvriendje,' lacht Fleur hartelijk. Hij kan nu meelachen.
De jeep heeft ze daarbinnen bij Bartels zeker wakker geschud, want een paar kinderen van rond de tien, elf jaar komen de weg op gerend. Of Bruce wil of niet, hij moet stoppen.
'Soldaten!' schreeuwt het stel door elkaar. 'Engelsen,' weet de snuggerste zeker. Dan pas wordt het vroegere buurmeisje ontdekt, want de oudste roept: 'Fleur! Jij bent Fleur!' Zowel Bruce als Fleur moet het hele stel handen schudden. Eén rent naar binnen en jawel, Grad en zijn vrouw, de ouders van Harm, komen ook naar buiten, de vrouw met een omslagdoek om, de man met zijn pet op.
Nu besluit Fleur toch maar even uit te stappen en de beide oudjes de hand te schudden. Ze stelt ook even Bruce aan hen voor. Wat zijn ze oud geworden! gaat het door Fleur heen, die alleen nog het beeld kan oproepen van dik tien jaar geleden. Het doet niet alleen haar, maar ook de mensjes goed om elkaar weer te ontmoeten. Hun verzoek om binnen te komen slaat ze echter

af, door te stellen dat ze niet te lang weg kan blijven van de boerderij. Maar de jongelui vinden dat maar niks.
'Mogen we meerijden, Fleur, tot je huis? Dan kunnen we op school opscheppen dat we in een Britse jeep gezeten hebben.'
Bruce begrijpt hun verzoek. 'Stap maar achterin en goed vasthouden.' Toeterend en nagezwaaid door de oudjes scheurt Bruce weg. Fleur maant hem tot kalmte, maar het kan de jeugd niet hard en wild genoeg gaan.
In een mum van tijd zijn ze honderd meter verder, en Fleur moet gillen en wijzen tegelijk dat ze haar woninkje al voorbij zijn. Bruce rijdt terug. Hij ziet de verheerlijkte gezichten achterin en stelt het volgende voor: 'Luister, Fleur stapt uit, die is bang als ik hard rijd, jullie niet, hè.' Vier hoofden schudden heftig van nee. 'Ik toer een rondje met jullie en zet jullie daarna thuis af, maar dan is het feest echt uit. Begrepen?'
'Hij praat Nederlands, die Engelsman!' Met grote ogen kijkt de oudste Bruce aan.
'Ja, maar ik spreek ook Engels. *Do you understand me*?'
'Hè, watte?' Het gezicht van de oudste is één groot vraagteken.
'Ik vroeg of jullie me verstonden,' lacht Bruce.
'Het eerste wel, het tweede niet,' antwoordt weer de oudste.
'*Let's go*!' roept Bruce dan. En dat snappen de vlegels wel, want de oudste springt gauw voorin en maakt ruimte voor het stel achter. Dan geeft Bruce gas. 'Goed vasthouden!' schreeuwt hij boven het lawaai van de brullende motor uit. Dat doen ze en ze genieten en schreeuwen om het hardst. Vooral als Bruce door de modderkuilen rijdt en de blubber tegen de zijkanten omhoogspat. Dan dendert hij over een stuk land en hoewel het redelijk nat is, komt hij er met de vierwielaandrijving wel uit. De jeep komt vol modder te zitten. Bij hen thuis levert hij de kinderen af. Hij stapt zelf ook uit en ziet hoe de jeep er niet uitziet.
'Kijk eens, wat zal Fleur zeggen, oooh...' En hij speelt het zo, dat de groep besluit emmers water en een veger te halen en het ergste te verwijderen, zondagse kleren of niet. Maar ze doen het met stralende gezichten, en ze bedanken Bruce uitgebreid als hij hun een voor een als afscheid een hand geeft en 'tot

ziens' zegt. De jongelui zwaaien hem en de jeep na.
Fleur heeft intussen een blik in de tuin geworpen. Die ligt er net zo bij als vorig jaar. Op de boerderij heeft ze alles gisteravond afgezocht naar de sleutel van het huis. Uiteindelijk vond ze hem in de oude tas, waarmee ze op de boerderij gekomen was.
Ze heeft de deur al open, als Bruce lachend uitstapt en zegt dat het feest was voor de kinderen. 'Ik hoorde ze hier helemaal tekeergaan, dat stel,' knikt Fleur. Bruce blijft even staan, voor hij verdergaat. Glimlachend neemt hij alles in ogenschouw.
'Liefelijk!' is zijn oordeel. 'Het lijkt wel het huis van Hans en Grietje... Mijn moeder vertelde dat sprookje aan mij, toen ik klein was.'
Fleur schiet in de lach, maar eigenlijk heeft hij wel een beetje gelijk, vindt ze. Binnen is ook niet veel veranderd, al is de boel de laatste tijd wat vervallen. En dan vertelt ze dat in haar huis – 'Hier' en ze wijst naar de bedstee en de opkamer – de Britse piloten wachtten op een nachtelijke doortocht naar België. 'Met mijn vriendje,' zegt ze opzettelijk, maar hij trapt er niet meer in. Hij kijkt haar bewonderend aan.
Ze laat de kleine aanbouw zien en dan vraagt hij: 'En hier leefde je dus met je ouders?'
'Ja. Even een paar jaar met z'n drietjes, en na vaders dood met moeder, tot dik tien jaar geleden. Toen ging ik naar Heidelust.'
Hij knikt begrijpend. Ze bekijken de kelder, dan de opkamer. Daar werpt Bruce zich op het bed. 'Kom, liefje van me.'
Fleur laat zich boven op hem vallen, want het is te smal voor naast elkaar, dan hadden ze de bedstee moeten nemen. Nu wordt er even niet meer zo veel gesproken. Zijn handen strelen haar hoofd en hals. 'Wacht,' zegt ze. Ze staat op, doet haar winterjas uit en gooit hem op de grond. Dan nestelt ze zich weer tegen hem aan. Zijn handen strelen verder over haar borsten, haar dijen, komen weer omhoog naar haar rondingen. Hij kust haar teder en zij voelt warme gevoelens in haar opstijgen. Och, wat een heerlijkheid! Het gaat niet ruw, met grijphanden, wat Dirk altijd wil, nee, zo teder en zacht en vooral liefdevol gaat Bruce te werk. Ze gaat er zó in op, dat even de gedachten bij haar opkomt: Als hij nu verder zou gaan, geef ik me helemaal,

want zó kan het alleen maar mooi zijn. En kan een kindje, geboren uit zo'n teder liefdesspel, dan zonde zijn?
Maar het blaffen van een hond doet beiden overeind vliegen. Fleur grist haar jas en gaat naar de deur. Daar staat op het pad, met een hond... Harm!
De hond gaat fel tekeer, maar één opmerking van zijn baas doet hem stilzwijgen.
'Harm!' stoot Fleur uit en ze loopt met uitgestoken handen op hem toe. Hij schudt haar beide handen. 'Tjonge, wat een kerel ben jij geworden, zeg!' roept Fleur verbaasd. Harm lacht eens en zegt dat zij er warempel ook wezen mag. Dan stelt Fleur Bruce aan hem voor en ze zegt erbij dat dit nu haar schoolvriendje is van vroeger en dat hij degene is die de piloten over de grens zette.
'Mooi! *Nice*, goed werk van je!' lacht Bruce en hij steekt zijn hand uit. Harm geeft hem een stevige hand terug.
'Hoe is het, koddebeier?' vraagt Fleur lachend.
'Prima! Ik woon op mezelf in de dienstwoning van de baron en let op stropers.' Dat laatste komt er lachend uit. 'Maar,' voegt hij er zachtjes aan toe, 'ik zie voor een arme kerel weleens wat door de vingers in deze tijd, snap je?'
Fleur knikt en zelfs Bruce heeft het een en nader meegekregen, aan zijn knikken te zien.
'Kom je verder, Harm?' vraagt Fleur. De ander schudt zijn hoofd. 'Nee, meidje, misschien later ooit, wie weet, maar mijn plicht roept.' Dan geeft hij beiden een hand en verdwijnt naar het bos.
Daarna staan ze even besluiteloos, maar Fleur wil per se even langs de meester en dus moeten ze opschieten. Even later sjeest de jeep richting het dorp. Bij het huisje van Bartels duwt Bruce een paar keer op de claxon. Gordijntjes vliegen opzij en lachende gezichten met zwaaiende handjes laten zich zien.
En dan komt de teleurstelling: bij de meester is niemand thuis. Dus rest hun niets anders dan terug te keren naar Heidelust.
Als het begint te schemeren, zegt Bruce: 'Kun je ook eten in die herberg in het dorp?'
'Ik dacht het wel,' zegt Fleur.

'Nou, dan gaan we daarop aan, en laten we het eten thuis voor wat het is. Ik trakteer.'
Het is nog niet zó druk rond deze tijd. Na het eten wordt dat anders. Veel van Bruce' mannen zoeken hier 's avonds vertier. Ze laten daarbij de dorpsschonen ook niet altijd met rust, wat de plaatselijke jongelui soms helemaal niet aanstaat. Het heeft al eens tot een vechtpartij geleid, weet hij. Maar nu is het rustig en ze nemen in een hoekje van de herberg plaats.
De oudste dochter Dien, ook alweer een hele meid, komt vragen wat ze wensen. Ze kijkt Fleur verrast aan, maar zegt niets. Een halve kip lijkt hun wel wat, ongetwijfeld komt die van eigen erf hier. Dien vraagt of ze alvast wat willen drinken? Bruce wil bier. Fleur weifelt. Ze heeft nog weinig sterkedrank gehad, maar Dien adviseert een zoet wijntje. Dat doet Fleur dan maar. Ze proeft even later en Dien heeft gelijk, het smaakt lekker zoet. Maar het is wel een klein glaasje, vindt ze, of hoort dat zo? Ze weet het eigenlijk niet goed. Op de boerderij neemt ze bij een feest weleens een advocaatje, maar dat past niet bij een maaltijd. Ze keuvelen en eten gezellig, drinken er nog één en later nog één, ieder van hetzelfde.
Dan komen de eerste jongelui uit het dorp binnen. Ze kijken rond en gaan aan de bar zitten. Maar Fleur hoort wel dat ze het over hun tweeën hebben. Ze doet echter alsof ze niets merkt.
Ze worden enthousiast begroet door de eerste soldaten van Bruce' bataljon. Die komen hun een hand geven, maar nemen daarna gelukkig ergens anders plaats. Fleur ziet hoe nu ook dat Stien, het jongere zusje van Dien, koket naar de militairen gaat en hun vraagt wat het zal zijn. '*Beer*!' roepen ze allemaal. Eigenlijk was de vraag overbodig.
Niet veel later verschijnt weer een groepje en één brengt zelfs een dorpsschone mee. Het ritueel herhaalt zich en in het meisje herkent Fleur de dochter van de schoenlapper, een kind nog. Als ze het eten op hebben en Bruce vraagt of ze nog iets wenst, zegt ze fluisterend: 'Laten we naar huis gaan en een stukje wandelen samen. Oké?' Bruce knikt, hij wenkt serveerster Dien en rekent af met een flinke fooi, want het meisje heeft hen allervriendelijkst bediend. Dan reikt Bruce Fleur haar mantel aan.

Hij groet de verdere aanwezigen en daarna verlaten zij het pand.
'Daar gaat het feest nog effe door,' veronderstelt Fleur en Bruce knikt. Bij de bosrand zet hij de jeep neer, omdat ze samen nog een kleine wandeling willen maken.
'Het is hier wel ongelijk, Bruce,' vindt Fleur en ze grijpt steun zoekend naar zijn arm, als ze zich na twee passen wat wankel voortbeweegt. Bruce staat stil.
'Het zou wel eens niet de weg, maar van de wijn kunnen zijn, liefje.' En ze kan in de schemer nog juist zijn vrolijke gezicht zien.
'Zou je denken? Maar van drie glaasjes kun...'
'Kun je dronken worden, ja, als je dat niet gewend bent. Maar kom maar hier,' en hij pakt haar stevig om haar middel. Ja, hij heeft gelijk, denkt Fleur, het is ook zo licht in haar hoofd opeens. Bij een flinke stam leunt hij tegen de boom en houdt haar stevig in zijn armen. Dan vinden hun lippen elkaar weer feilloos. Zijn handen onder haar jas volgen de lijnen van haar figuur. Wat zalig... Jammer dat het te koud is om te liggen, gaat het door Fleur heen, ze zou het nu vol overgave doen.
Na een tijdje van zoenen en strelen en lieve woordjes, stappen ze terug en brengt de jeep hen naar Heidelust. Bruce levert Fleur netjes binnen af. De boer presenteert hem een sigaar, maar Bruce bedankt vriendelijk. Hij rookt niet, zelfs geen Engelse sigaret. Fleur vertelt honderduit. Zo hebben de anderen haar nog nooit gehoord. Als ze het eten en de wijn opsomt, wordt het bij de boerin duidelijk: de jonge dame is wat tipsy. Maar goed, dat was zij vroeger ook wel geweest.
Om tien uur wordt er afscheid genomen. Even gaat Fleur nog mee naar de deel. Een paar zoentjes en dan klinkt het: 'Goedenacht en tot morgen.'
Maar van slapen komt niet veel. Fleur loopt in gedachten de hele dag nog eens door. Af en toe komt ze bij momenten die zo innig waren, dat ze zich wel had willen geven. Maar die Harm... en giechelend bedenkt ze dat hij misschien wel de redder was. De lach op haar gezicht verraadt dat haar dromen verdergaan.

HOOFDSTUK 14

Op hoeve Heidelust heerst in alle vroegte grote bedrijvigheid. Het bataljon soldaten moet weer terug naar het front om hun makkers, ook van de derde Britse Infanterie Divisie, af te lossen. De veldbedden, de kombuis, ja eigenlijk alles behalve de persoonlijke zaken, kunnen blijven staan, want vanavond komen de anderen hier dagen uitrusten van hun vermoeienissen.
Ook op de hoeve zijn ze nu ingespeeld op de nieuwe groep. Eén kok is achtergebleven en maakt voorbereidingen voor de warme maaltijd. Alleen heeft Bruce gevraagd om weer veel warm water en wat teiltjes, zodat de doodvermoeide makkers zich kunnen wassen en verschonen en scheren. Fleur heeft beloofd er zorg voor te dragen en zal nazien of er nog gewonden bij zijn, die verpleegd moeten worden.
Gisteravond hebben ze samen een lange wandeling gemaakt. Bruce is er wel bijna zeker van, dat hij nog een keer terugkomt. Ook al zal de Slag om Overloon over een week of tien dagen beslecht zijn, dan nog komen ze, voordat ze verder trekken richting Nijmegen–Arnhem, een aantal dagen terug om bij te komen.
Zij zijn al vanaf juni in de weer, en vooral deze weken in de winter trekken een zware wissel op de jongens, vertelt hij haar. Maar voor het geval dat ze verder trekken en niet op de hoeve terugkomen, heeft Bruce beloofd te bellen, aangezien ze op de boerderij telefoon hebben. Als de strijd eenmaal gestreden is, komt hij in ieder geval naar de hoeve terug. Dan moeten ze maar zien hoe het verder zal gaan: of Fleur mee naar zijn ouders in Engeland, of Bruce even terug om zijn ouders na zo'n lange tijd te begroeten en daarna terug te keren naar Nederland.
Het is vooral Fleur die zorgen heeft, nu ze weet hoe hard daar gevochten wordt. Hij heeft met zijn hand op zijn hart moeten beloven, geen roekeloze dingen te doen. Zij wil dat hij ongeschonden terugkomt. Want voor Fleur staat vast: ze wil in de toekomst verder met Bruce gaan, het is voor haar hij en geen

ander. Maar hij denkt er net zo over, weet ze.
Fleur is deze ochtend al net zo vroeg in de weer als de manschappen. Ze voelt zich al de hele ochtend op van de zenuwen. Zo dadelijk vertrekt hij in de jeep, de soldaten in de vrachtauto en dan blijft zij helemaal alleen achter. Maar het ergste vindt ze dat de jongens weer naar het front moeten, om hen hier in Nederland te bevrijden en daarbij hun leven op het spel te zetten. Haar nare droom van vannacht wil maar niet wijken. Daarin zag ze dat Bruce sneuvelde. Met een gil was ze recht overeind gevlogen en alleen het besef dat het een droom en geen werkelijkheid was geweest, had haar enige kalmte teruggegeven. Nu het afscheid steeds dichterbij komt, ziet ze alles als in een filmflits voorbijgaan.
De anderen zijn ook op en geven haar nare gedachten wat afleiding. Even later gaat de keukendeur open en staat Bruce in schoon gevechtstenue in de deuropening.
Zijn anders zo open gezicht vertoont een ernstige trek. Fleur denkt dat dat komt omdat ze vanavond weer in de modder en in de vuurlinie liggen.
'*Dear people*, ik kom jullie bedanken voor de goede, goede zorgen, dat deed ons goed, we kunnen er weer tegen. Het zal ook nodig zijn. Misschien tot over veertien dagen, liefst eerder, dan is het daar afgelopen. We zullen zien, we doen ons best.' Dan loopt hij op de boer toe en schudt hem langdurig de hand. Ook de boerin en Bets krijgen een hand. Dan komt hij bij haar.
'Denk aan ons, bid maar een... hoe noemen jullie dat?'
'Weesgegroetje,' vult Fleur met betraande ogen aan.
'Juist ja, een wees-ge-groet-me.'
Ondanks de ernst van de zaak schiet iedereen in de lach. Ze pakt zijn hand en gaat met hem mee naar buiten. Daar neemt ze afscheid van hem. Ook de soldaten komen een voor een hun allen een hand geven. De meesten kennen ondertussen wel het Nederlandse woord 'bedankt' of zelfs 'dank u wel'. En hoewel het harde kerels zijn, zien de vrouwe en Bets en Fleur dat sommigen toch vochtige ogen hebben.
Fleur, die wat Engels geleerd heeft, zegt tegen elke soldaat: '*Be careful, boy.*' Sommigen antwoorden: '*Sure, Fleur.*' Een enke-

ling durft haar dan zelfs een klap op haar schouder te geven. Bruce is de laatste en terwijl de jongens in de truck klimmen, neemt zij afscheid van haar geliefde. Tranen vloeien nu rijkelijk, niet alleen bij Fleur, want ook de anderen staan met hun zakdoek in de hand.
'*Be careful, Bruce, promise me...* Beloof me nog eens dat je voorzichtig zult zijn.'
'*I promise.* Je zegt toch zelf altijd: beloofd is beloofd?'
Fleur krijgt er geen woord meer uit. Ze geven elkaar nog een innige zoen tot slot en dan, met één sprong, zit hij in de jeep en start de motor. Nu klinkt uit tientallen kelen: '*Bye bye*' en 'Tot ziens.'
Fleur zet een paar passen, alsof ze naast de jeep mee wil hollen, en blijft dan abrupt staan, alsof ze het zinloze ervan inziet. Ze steekt haar hand op en zwaait de vertrekkende voertuigen gedag. Ondanks de lichte regen blijft ze staan tot ze de bocht om zijn. Dan slaat ze beide handen voor haar gezicht en begint luidkeels te snikken.
Een arm wordt om haar heen geslagen. Het is Bets, die zacht zegt: 'Kop op, Fleur, over veertien dagen is hij er weer... Zeker weten!'
Maar Fleur weet iets meer dan zij. Zij weet hoe fel de tegenstand daar is. Zij weet dat Bruce zei: 'Ik denk dat we daar van huis tot huis, van boom tot boom, de Duitsers dienen uit te roeien met alle gevaren van dien.'
Binnen schenkt men een kop koffie en keert langzaam de rust weer terug. Maar veel wordt er nog niet gesproken. Iedereen is zo met zijn of haar gedachten bij de jongens.
Maar in de late middag heeft men geen tijd meer om te prakkiseren. De nieuwe groep die aankomt lijkt nog vermoeider en afgetobder dan de vorige.
Deze luitenant is veel ouder en formeler. Stugger misschien. Men is wel blij met het warme water. Maar ze zijn terneergeslagen, lijkt het. Fleur durft met haar weinige Engels aan de luitenant te vragen: '*How was it there, sir?*'
'*Bad, very bad,*' antwoordt hij somber, en hij kijkt wezenloos naar een baal stro in de hoek van de schuur. In één oogopslag

ontdekt ze dat er dit keer meer jongens met verwondingen zijn. '*I will help your wounded soldiers,*' legt Fleur uit en ze wijst naar een soldaat met de arm in het verband. De luitenant, die zich voorstelde als Tom Huges, knikt. Dan haalt Fleur de verbandtrommel en gaat ze bij de eerste gewonde zitten. Het blijkt gelukkig maar een schampschot, dat schoongemaakt en opnieuw verbonden over een paar dagen wel genezen is. De tweede heeft zichzelf gesneden met zijn dolk. De wond is nog steeds niet dicht. Met een paar zwaluwstaartjes hoopt Fleur het dicht te laten groeien, anders moet hij een dezer dagen maar naar dokter Horbach toe. En zo doet Fleur de ronde.
Bij een jonge soldaat ontdekt ze de reden van hun terneergeslagenheid. '*Three friends we've lost, miss, and that's hard, very hard, you know.*'
Ja, dat kan Fleur zich voorstellen. Als je drie vrienden daar achterlaat in die blubber, gaat je goede zin wel over. Fleur realiseert zich dat het waar is wat Bruce zei. Goeie genade, en daar is haar Bruce weer naar terug! En weer voelt ze de angst in haar hart.
Het werk brengt enig soelaas en tegen de broodmaaltijd 's avonds is de nieuwe lichting gewassen en geschoren en in schone kleren. De kok zorgt daarna voor de inwendige mens. Fleur is er niet meer nodig.
Binnen vertelt ze waarom dit bataljon zo teneergeslagen is, en iedereen heeft met hen te doen. Weer drie kerels, beseffen ze, die voor hun vrijheid het jonge leven lieten in een vreemd land. Vreselijk!

Maar véél erger is het rondom Overloon. Het is als verwacht, de Duitsers hebben zich ingegraven in de heuvelachtige bossen. De Panthertanks nemen alles onder vuur wat zich op verre afstand bevindt, en het artilleriegeschut, dat ingegraven ligt in het zand, schiet op alles wat dichterbij komt. Bruce overlegt met zijn meerderen. Ze hebben de Duitsers helemaal omsingeld. Men kan de tactiek van uithongeren toepassen, of wachten tot hun munitie opraakt. Met schijnaanvallen kunnen ze de Duitsers een hele hoop munitie laten verspelen. Zaak is dan wel

dat die niet door de linies heen breken. Omdat de aanvoer van de geallieerden niet verstoord is, kunnen zijzelf onbeperkt granaten en mortieren afschieten.
Allereerst wordt besloten de kerktoren van Overloon neer te halen, omdat men daar een uitkijkpost in vermoedt. En zo gebeurt dat die avond. De volgende morgen volgt een spervuur van granaten op de huizen in Overloon, waar men verscholen Duitse soldaten in verwacht. Letterlijk geen huis blijft overeind, terwijl het dorp toch enkele honderden woningen telt.
Men rukt steeds verder op, neemt de ene na de andere straat in. De Duitsers trekken zich terug in de bossen. Amerikanen komen met Shermantanks assisteren. Maar de logge gevaarten rijden zich vast in de modder. Sommige worden uitgeschakeld door de Panthers van de Duitsers.
Een Britse officier zegt na een paar dagen: '*Overloon: it's mines, woods and mud, stiff with the enemy all the way.*'
Bruce geeft hem gelijk. 'Overloon is mijnen, bossen en modder, moeilijk en taai met die vijand die overal is, waar je ook bent.'
En zo vergaat de ene regenachtige, koude dag na de andere. En slechts mondjesmaat schiet men op. Bruce drukt zijn manschappen op het hart, in de bossen vooral voorzichtig te zijn voor schutters in de bomen.
Als de tiende en de elfde dag droog verlopen, wordt besloten de volgende dag een offensief van drie kanten tegelijk in te zetten. Tanks en mijnenvegers gaan voorop en de Britse infanterie, waartoe ook het legeronderdeel van Bruce behoort, gaat daar achter.
Het is 12 oktober. Alsof de wereld vergaat, wordt van drie kanten alles onder vuur genomen. Bomen knakken om, geveld door granaten. Hier en daar ontploffen mijnen. Een Shermantank wordt uitgeschakeld door de Duitsers. Maar materieel is er voldoende. Verder rukken de geallieerden op. Duitse scherpschutters in schuttersputjes worden verjaagd door de tanks. Vanuit de bomen worden de geallieerden onder vuur genomen. Overal is het een hels kabaal, want de troepen van Hitler moeten nu aan alle kanten weerwoord geven. In het begin lukt dat wonderwel, mede door de schutters in de den-

nenbomen, die moeilijk te traceren zijn. De avond valt en men besluit om de volgende morgen bij daglicht het offensief voort te zetten, om onnodige verliezen te voorkomen.
Die avond telt Bruce twee slachtoffers in zijn bataljon en er blijken er nog vier van een ander onderdeel gesneuveld te zijn. De jongens worden in stilte op een provisorische plek begraven tot na de veldslag. Ook zijn er wat Amerikanen gesneuveld. Hoeveel Duitsers er omgekomen zijn is onzeker, maar dat moeten er vele malen meer zijn.
In de vroege morgen van 13 oktober gaat de veldslag verder. Weer klinken er duizenden granaten die afgeschoten worden. Dan rukt men verder op. Men stuit op diverse plaatsen nog steeds op felle tegenstand. Andere gedeeltes worden wat gemakkelijker veroverd. Maar de bossen zijn uitgestrekt. Nu is het oppassen voor de mijnen. Soms dient men echter risico's te nemen, als de tank of mijnenveger niet verder kan door de modder of doordat de bomen te dicht opeen staan. En zo verliest Bruce door een mijn zijn derde kameraad.
Hij maant anderen aan, voorzichtig te zijn. Hij snapt de gretigheid van zijn mannen die, nu het iets beter gaat, de Duitsers een kopje kleiner willen maken. Er wordt die middag stafoverleg gepleegd tussen de Britten, waaronder Bruce, en de Amerikanen, met de generaal die het bevel voert. De belangrijkste vraag is: Nu doorgaan met de risico's van dien als de avond valt, of morgenochtend in alle vroegte verdergaan en vannacht extra waakzaam zijn, opdat de Duitsers de linie niet doorbreken? Het wordt het laatste, ze wachten tot morgen.
Overal is men die nacht op zijn hoede. Aan Amerikaanse kant wordt door de Duitse tankdivisie een poging tot uitbreken gewaagd, maar de Shermans schakelen de Panthers uit. Dat is voor de agressor een grove streep door de rekening. Nu staat uitbreken zonder tanks gelijk aan zelfmoord. Men wacht op de dingen, die komen gaan. En dat is al snel.
Bij het eerste licht ronken de motoren van tanks en mijnenvegers. Tegelijk valt men van alle kanten aan. Al snel komen de eerste Duitsers met een witte vlag uit hun schuilplaatsen. Ze worden afgevoerd door de Amerikanen. Zo volgen nog ettelij-

ken, die het hopeloze van de strijd inzien. Dan in de namiddag capituleert de Duitse staf en geeft zich over aan de Amerikaanse en Britse bevelhebbers. Overloon is op 14 oktober 1944 bevrijd. Onder andere meer dan 25.000 granaten waren daarvoor nodig.
Die avond is de stemming opgewekter in het Britse en Amerikaanse kamp.
Andere troepen komen om de gewonden en dodelijke slachtoffers af te voeren. De Britten worden bij elkaar begraven op een provisorische begraafplaats. De Duitse slachtoffers ook.
Bruce en zijn makkers maken zich na precies veertien dagen op om terug te keren naar Heidelust. Maar het gebied is nog niet geheel gezuiverd van de Duitsers. De kleine stad Venray, zo'n zes kilometer verderop, moet nog ingenomen worden. En aan de beek, halverwege, woedt nog dagenlang de strijd voort, met veel verliezen aan beide kanten. Zo veel, dat de bewoners later de beek in 'de rode beek' omdopen, vanwege het vele bloed dat daar stroomde.
Maar daar hoeft Bruce niet naartoe. Wel de manschappen die zij morgen op Heidelust zullen aflossen.
En voor het eerst heeft hij tijd om na te denken over zijn Fleur. Hij is droevig om het verlies van zijn drie makkers, maar blij dat hij weer bij haar zal terugkeren.
Beloofd is beloofd!

HOOFDSTUK 15

Op Heidelust heeft men de afgelopen week niet zoveel gemerkt van dit bataljon. Wellicht kwam dat door het feit dat het nieuwe er een beetje af was. Anderzijds zal ook wel een rol gespeeld hebben dat de luitenant een meer gesloten persoon is, zeker tegenover Bruce, die ook nog Nederlands sprak en verstond.
Wel is de Britse MP, de militaire politie, een keer verschenen en dat had te maken met een ruzie in de herberg tussen een paar soldaten en wat jongelui uit het dorp. Inzet daarbij waren natuurlijk de dorpsschonen, die wel gecharmeerd zijn van die vreemdelingen en hun heerlijke sigaretten.
De laatste dagen heeft men trouwens in het dorp een veel belangrijker nieuwtje om bij stil te staan. Gijs Loonen is plotseling teruggekeerd. Zij die hem al gezien hebben, zeggen dat je hem haast niet terugkent. Hij is sterk vermagerd en niet meer die vrolijke gast van voorheen. Natuurlijk is het werkkamp waar hij gezeten heeft, daar debet aan. Maar vrienden van hem zeggen dat hij ook qua karakter anders is geworden. Gesloten, kortaf, op zichzelf gericht, in tegenstelling tot vroeger, maar hij is ook agressief en gauw aangebrand en dat laatste kennen ze helemaal niet van hem.
Bovendien drinkt hij de laatste tijd te veel. Maar die rottijd zal toch wel de hoofdschuldige zijn. Over het kampleven vertelt hij nauwelijks iets, zelfs niet thuis. Alleen over zijn vlucht uit Duitsland heeft hij iets losgelaten. De geallieerden hadden hun fabriek, waar ze granaathulzen vervaardigden, in puin geschoten. Daarom werd besloten dat alle tweehonderd man verplaatst zouden worden naar een andere fabriek, een kleine honderd kilometer verderop. Zij waren diezelfde avond in een veewagon gestouwd, staande tegen elkaar, bij elkaar drie wagons. Na een klein uur waren ze beschoten door de geallieerden, die mogelijk dachten dat er oorlogsmaterieel vervoerd werd. Twee wagons stonden in lichterlaaie en de deuren werden opengegooid. De paar Duitse soldaten die het transport begeleidden, waren niet in staat de vluchtenden in bedwang te

houden of iedereen neer te schieten. Gijs was met twee kameraden uit de wagon in de greppel gesprongen aan de boskant en had zich snel uit de voeten gemaakt in het bos. De hele nacht hadden ze doorgelopen, bang dat met honden en versterking naar de vluchtenden gezocht zou worden.
Tegen de ochtend waren ze beland bij een afgelegen boerderij. Ze hadden de gok genomen en hadden aangebeld. Het was tot hun opluchting een boer geweest die Hitler minachtte. Twee zoons had hij verloren, zij waren omgekomen in Rusland. De man was erg verbitterd. Hij gaf hun te eten, ze kregen andere burgerkleding van zijn overleden zoons en hij verbrandde hun werkkampkleding meteen. Ze kregen nog wat voedsel mee voor onderweg. Van de boer hoorden ze dat ze honderd kilometer van de Belgische grens verwijderd waren en dat België en Zuid-Limburg reeds bevrijd waren.
Om niet bij aanhouding alle drie tegelijk gepakt te worden, besloten ze dat ieder zijns weegs zou gaan. Na een uitputtende week was Gijs in België aangekomen. Toen kon hij zich de laatste kilometers vrij bewegen. Soms liftte hij mee met een paarden-wagen of een vrachtauto. Zo had hij Maastricht bereikt. Daar had hij zich gemeld bij het Rode Kruis. Zij hadden ervoor gezorgd dat hij met een Amerikaanse vrachtauto mee kon naar Brabant. En nu was hij na bijna vier jaar weer thuis.
Als Fleur het hoort, is ze blij voor hem. Maar liefde voelt ze niet meer voor hem. Haar grote liefde is Bruce. Op Heidelust hoopt men dat ook zoon Bart nu snel thuis zal komen. Wolters is naar Gijs Loonen gegaan om te vragen of die niet iets wist over zijn zoon. Maar die heeft duidelijk niet in hetzelfde kamp gezeten. Gijs weet net zoveel als zij.
En nu is Gijs vanavond naar de boerderij gekomen en heeft naar Fleur gevraagd. Hij wil niet binnenkomen, maar vraagt of zij naar buiten kan komen.
Gehuld in haar dikke winterjas gaat ze het erf op. Het eerste ogenblik herkent ze hem niet eens. Niet alleen vanwege de duisternis, maar hij is zo sterk vermagerd en bleek, voor zover dat in de schemer te zien is.
Gijs stelt voor om samen een stuk te wandelen en te praten,

misschien even naar de herberg te gaan. Maar in dat laatste stemt Fleur niet toe. Wel loopt ze even met hem mee de veldweg op.
Hij had al gehoord van haar nieuwe liefde, want fel – zo kent ze hem niet – vraagt hij: 'Hoe zit dat, ik dacht dat jij míjn vriendin was en nu loop je met een Engelsman, heb ik gehoord?'
'Dat klopt, Gijs. Vier jaar heb ik niets van je gehoord, ik wist niet eens of je nog wel leefde en bovendien... Op wat zoenen na hadden we verder niets officieels, we hebben toch nooit elkaar trouw beloofd?'
Even zegt hij niets, dan valt hij heftig en kwaad uit: 'Nee, allicht, je kon daar nogal wat van je laten horen, verdomme! Pen noch papier bezat je, laat staan een postzegel en dan een brief naar Nederland! Ik had je wijzer gedacht.'
Het zijn nog niet zozeer de woorden die haar pijn doen. Het is de toon waarop ze gezegd worden. Ze antwoordt: 'Het spijt me voor jou, Gijs, maar ik heb Bruce trouw beloofd. Na de oorlog gaan we samen verder, òf hier in Nederland, òf in Engeland bij zijn ouders.'
Gijs' volgende woorden grieven haar diep: 'Mooi is dat, eerst de verlokkende partij spelen met mij, en dan je als een slet afgeven met die Engelsman, die, als hij uit deze contreien is, je laat stikken, misschien ook nog wel met een dikke buik.'
Ze blijft staan, kijkt hem recht aan en zegt: 'Bah, wat val jij me tegen om zoiets van me te denken, ik had je hoger ingeschat.'
Dan laat hij haar bruusk achter en roept haar na: 'We zullen nog weleens zien wie jou krijgt... die Engelsman of ik!'
Ze schrikt van zijn woorden, van zijn felle, vernietigende ogen. Nee, zo kende ze Gijs niet. Konden vier jaar in een kamp een mens zó veranderen? Verdrietig wandelt ze terug naar de hoeve. Op de vraag van de boer wat Gijs wilde, antwoordt ze: 'Ik kende hem niet terug. Niet in zijn persoon, zijn karakter en zijn taalgebruik, maar nog minder in zijn houding ten opzichte van mij. Zijn laatste woorden waren: We zullen nog weleens zien wie jou krijgt! Nee, het is de Gijs niet meer van vier, vijf jaar terug.' De boer knikt en zegt dat zelfs de vrienden en ouders van Gijs er zo over denken.

Maar deze morgen heeft Fleur geen tijd om te denken aan Gijs. Van luitenant Tom heeft ze gehoord dat het bataljon van Bruce vanavond, als zij weg zijn, terugkeert op Heidelust. De Slag om Overloon schijnt gestreden te zijn. Het bataljon van Tom moet naar een stadje vlakbij, waar nog een aantal Duitsers zit. Op haar vraag of Tom wist of Bruce nog leefde, had hij de schouders opgehaald. '*A lot of soldiers died there, I know. I don't have names, sorry.*'
En nu heeft ze het de hele dag al niet meer. Er waren er gesneuveld. Zou haar Bruce een van hen zijn of zal hij vanavond hier verschijnen?
Ze stookt de bruspot gloeiend heet, en informeert bij de achtergebleven kok of hij meer weet. Helaas, ook hij kan haar niet geruststellen. En zo zit er de hele dag geen rust in haar.
Dan, tegen vieren, het is nog licht, komen een jeep en een truck de oprijlaan op rijden. Fleur is niet te houden, ze moet het weten. Is haar Bruce erbij? Ze holt zo hard ze kan de wagens tegemoet. En zo'n vijftien, twintig meter ervoor, ziet ze aan de gestalte achter het stuur van de jeep dat het Bruce moet zijn! Ze holt harder, zwaait met beide armen en de chauffeurs kunnen maar één ding doen... STOPPEN.
Dan vliegt Fleur Bruce om zijn hals en kust hem waar ze hem maar raken kan, terwijl ze uitstoot: 'Mijn God, je leeft... je leeft!'
Achter haar duwt de chauffeur van de truck om haar te plagen een paar maal op zijn claxon. Hij spreidt beide armen uit, alsof hij zeggen wil: Hoe zit dat nou, gaan we nog verder of overnachten we hier?
Ze lacht en zwaait naar hem. Ze herkent hem en hij haar. Dan holt ze voor de jeep uit naar het erf, waar de anderen al naar buiten komen, door Hector geattendeerd op het bezoek.
'Hij leeft... hij leeft!' roept Fleur hun tegemoet. Dan wordt de ontvangst opnieuw gedaan. Nauwelijks is hij uit de jeep, of ze hangt weer om zijn nek. Eindelijk krijgt Bruce de kans om de anderen te begroeten. Ook de mannen klimmen vermoeid uit de truck, en zwaaien naar de bekenden. Dan komt Fleur met Bets in actie en brengt tuiten vol warm water. Ze ziet een paar

gewonden en weet dat haar plicht haar nu roept.
Tijdens het verbinden van de gewonde soldaten hoort ze dat zij drie makkers verloren hebben. Dat doet Fleur pijn, ook al overheerst de blijdschap dat Bruce gespaard is.
De gewonden zijn door Amerikaanse, medisch opgeleide soldaten vanmorgen al goed behandeld en ze hoeft niet veel in actie te komen. Alleen hier en daar na het wassen en verschonen wat nieuw verband plaatsen of een nieuwe pleister.
'Vanavond, als de anderen vroeg naar bed gaan, wandel ik met je op en zal ik je alles vertellen, nu roept ook mijn plicht,' verontschuldigt Bruce zich. Na een innige zoen gaat ze met een blij, licht hart naar de hoeve terug.
Tegen negen uur 's avonds komt hij haar ophalen.
En dan, in zijn armen, verneemt ze alles over die bittere strijd in Overloon. Wie de gesneuvelden zijn, en dat hij van de week een dag teruggaat met enkele makkers om de doden hun eer te bewijzen, militaire eer, zoals het hoort.
Tranen van vreugde, maar ook tranen om zijn verloren makkers, huilen ze die avond samen bij dat verwrongen stuk geschut van de Duitsers. Daar aan de bosrand, geleund tegen de stam van een dikke Amerikaanse eik.
Maar Bruce is te moe om het laat te maken. 'Morgenavond, meidje, dan gaan we wandelen, het dorp in, als je wilt. Dan ben ik uitgerust en gaan we ons hernieuwd samenzijn vieren, oké?'
'Oké,' antwoordt ze, en na een innige zoen gaan ze alle twee slapen, beiden denkend aan en dromend over de ander.

Die zaterdagavond maakt ze zich al vroeg mooi. Ze doet haar beste jurkje aan en verzorgt het haar extra. De boer moet naar de nieuwe burgervader, de oude baas van weleer, die weer terug op zijn oude stekje is nadat de NSB-burgemeester na de bevrijding is gevlucht. De boer heeft daar iets gewichtigs te bespreken, en hij heeft zijn vrouw gezegd dat het wel eens laat kan worden. Dat heeft Fleur ook al tegen haar gezegd, ze vindt het eigenlijk vervelend dat de boerin vanavond alleen zal zijn. Maar deze doet er nogal laconiek over. Voor de grap zegt ze tegen haar man, dat zij vast wel mannelijk gezelschap bij de

Britse jongens vindt. Hij lacht erom en antwoordt: 'De meeste mooie mannen zijn in de herberg te vinden, vermoed ik zo, na zo'n heftige strijd.'
Tegen achten vertrekt Fleur met Bruce en wenst de vrouwe een genoeglijke avond. Die zwaait en zegt: 'Maak je over mij maar niet druk, geniet maar en haast je niet.'
Dicht ineengestrengeld lopen Fleur en Bruce richting het dorp. Fleur vertelt over de andere groep, die meer afstandelijk was geweest. Bruce kent Tom en die jongens wel en zegt dat Tom een ander type man is en dat mee zal spelen dat Tom natuurlijk geen Nederlands sprak of verstond.
Omdat het nog vroeg is, besluiten ze eerst iets te drinken in de herberg, voordat de dorpsjeugd en de makkers van Bruce daar verschijnen.
Heerlijk in een hoekje bestelt Fleur bij Stien een wijntje als toen. 'Maar geen drie, Bruce, dat was eens maar nooit weer!' zegt Fleur lachend tegen Bruce. Hij lacht ook en laat zich de pils goed smaken. Ze nemen elk nog een tweede glas, en proosten met elkaar. Dan komen een paar van Bruce' makkers binnen. Na een zwaai en een groet gaan zij aan de andere kant van de bar zitten, bij een paar meisjes uit het dorp. Blijkbaar kent een van hen Mariet Sijbers, want ze kust hem hartelijk goedendag.
Dan komen enkele dorpsjongens binnen. Met schrik ziet Fleur dat Gijs Loonen als laatste binnenkomt. Hij maakt gelijk een opmerking naar Marietje Sijbers en haar soldaat. Gelukkig staat hij met de rug aan de tap naar Fleur en Bruce toe. Bezorgd ziet ze dat hij binnen de kortste keren twee, drie pilsjes achteroverslaat. Als er weer enkele Britten binnenkomen die naar Bruce en Fleur zwaaien, draait Gijs zich die kant uit en ontdekt hen. Meteen komt hij op hen af, een half glas bier in zijn hand.
'Dat is Gijs Loonen, Bruce, waarover ik je vertelde gisteravond,' fluistert Fleur nog snel tegen Bruce. Daarna probeert ze zo gewoon mogelijk te doen en zegt: 'Goeienavond Gijs, ook hier?'
Hij kijkt haar niet eens aan. Hij wijst naar Bruce en roept zo hard dat de hele zaak het wel moet horen: 'Zo, vriendje, dus jíj bent degene die mijn meidje inpikte toen ik weg was, verdom-

me, maar ik zeg je dat dat niet voor lang zal zijn!'
Fleur schrikt van de flikkering in Gijs' ogen en zijn gemene grijns. Dan drinkt hij in één teug zijn glas leeg en zet dat met een klap op hun tafeltje. Bruce, die alles verstaan heeft, probeert waardig en kalm deze gebeurtenis op te lossen.
'Het spijt me voor jou, Gijs, maar Fleur en ik willen samen verder. Drink er maar eentje van mij en toon je een waardig verliezer.' En Bruce wenkt naar Stien. Deze komt naderbij en vraagt wat Gijs wenst te drinken.
'Een pils, maar niet van hem, die doerak, die pils kan ik heus wel zelf betalen, maar zij' – en hij doet een greep naar Fleur – 'is verdomme van mij.'
Fleur heeft bijtijds haar arm teruggetrokken en staat op. Voor haar is de lol er hier af. Floor Grob, de baas van de herberg, ruikt onraad en komt vanachter de tap vandaan, temeer omdat hij ziet dat Bruce' kameraden het tafereel gadeslaan. Dadelijk zijn die Britten aan het knokken met Gijs en diens trawanten en slaan ze de boel kort en klein. Veertien dagen geleden was er ook om een meidje heibel geweest tussen die Britten en de dorpsjeugd, dat moet hij nu zien te voorkomen. Daarom trekt hij Gijs aan diens arm en zegt: 'Kom, Gijs, wees verstandig, neem er van mij maar eentje.'
'Van jou, Floor, akkoord, maar van die zak dáár' – en hij draait zich half om en wijst naar Bruce – 'van z'n levensdagen niet, ik breng hem nog liever om.'
Ook Bruce begrijpt dat het beter is hier te verdwijnen en de verstandigste te zijn. Dus hij betaalt, groet de anderen en verlaat met Fleur de herberg. Intussen is het flink gaan regenen.
'Dat treft niet, meidje,' zegt Bruce en hij slaat zijn cape half over Fleur heen. Die sputtert wat tegen: 'Toe, Bruce, ik heb een dikke mantel aan, dadelijk ben je zelf nat.'
'Nou, bij jullie hebben we weer droge spullen liggen, hoor en dit beetje regen... Dat had je vorige week moeten zien, het hoosde soms daar.' Maar de regen valt hier ook gestaag, ontdekt Fleur, en och, samen onder zo'n cape is toch ook wel gezellig.
In flinke pas lopen ze naar de hoeve. Onderweg praten ze nog

wat. Fleur hoopt dat de oorlog nu gauw voorbij is en ze vertelt over de oudjes De Wijs die, nu ze hier bevrijd zijn, naar haar huisje gegaan zijn om daar de bevrijding van Amsterdam af te wachten. Ze is zelf mee geweest en heeft genoten toen ze de oudjes zo gelukkig zag in haar huis.
Bruce vindt het geweldig. 'Zullen we ze samen morgen opzoeken, Fleur? Dan is het zondag… weet je wel, recht op één vrije zondag per maand?' merkt hij lachend op.
'O, heerlijk, Bruce, en ik weet zeker dat ze het geweldig vinden jou te ontmoeten.'
Dan zijn ze bij de hoeve. Daar is alles donker.
'Kom even mee naar de deel, daar is toch niemand. Ik wil wel even met je vrijen, hoor, na zo'n lange periode van droogstaan,' zegt Fleur lachend.
'Nou, droog…,' fluistert Bruce. 'Kijk eens,' en hij wringt zijn cape uit. Fleur doet haar jas ook uit, haar jurkje is wel droog gebleven.
Dan neemt hij haar op schoot en fluistert lieve woordjes in haar oor. Zij geniet daar net zoveel van als weken terug. Ze doen alsof zij weer voor een lang afscheid staan, hoewel Bruce nog minstens elf dagen blijft. Voor de zoveelste keer beloven ze elkaar eeuwige trouw. En het is maar goed dat de balen stro hard en ongemakkelijk zitten, anders zouden ze zich wel eens hebben kunnen verliezen in elkaar. En nu was Fleur allesbehalve aangeschoten…
Bruce hoort harde Engelse woorden op het erf. Hij schrikt op.
'Ik ga even kijken, Fleur, of er iets loos is met mijn mannen.'
Fleur weet dat zijn plicht zelfs vóór het meisje gaat en houdt hem niet tegen. Even later komt hij gehaast terug.
'Ik ga even naar de herberg terug, een paar mannen van mij schijnen er heibel te maken, dat kan ik niet tolereren… Maar morgen halen we de schade in, liefje,' en hij drukt een warme, innige zoen op haar natte lippen.
'Doe je voorzichtig, Bruce!' roept ze hem nog na.
'Joehoeh,' komt het haar richting uit. Dan is hij verdwenen.
Jammer van de avond, denkt Fleur. Ze kijkt op haar horloge. Nog geen halftien. Afijn, dan zal ze de boerin maar even gezel-

schap houden. Die zat toch ook maar de hele avond alleen.
In de keuken brandt wel licht, maar er is niemand. Ze hoort stemmen in de goeie kamer. Gut... heeft de boerin onverwacht bezoek? Nou, dan zal ze even aankloppen en goedenacht wensen.
Maar als ze deur opent, verstijft ze van angst. Daar zit in de grote stoel Dirk, de knecht, halfnaakt, en met gespreide benen eroverheen, met loshangende open blouse en verwilderde haren... de boerin! Deze komt met een kreet overeind, knoopt haar blouse dicht en roept, terwijl ze op Fleur toe komt: 'Jij... jij zou toch zo laat thuiskomen? Jij...'
Perplex, niet wetend wat te zeggen, staat Fleur nog steeds in de deuropening.
'Als jij je mond opendoet over wat jij hier gezien hebt, kun je hier gelijk ophoepelen. Denk daar maar aan, meidje!' schreeuwt de boerin, en als een furie wijst ze nu met opgeheven vinger naar Fleur. Is dit nou haar bazin? Hoe is het mogelijk!
Ook Dirk is woedend. Hij trekt zijn overhemd aan en komt op haar toe. 'Jij gemene slet, jij houdt je mond over wat je hier ontdekt hebt. Ik mocht je niet aanraken, hè, maar die smerige Engelsman wel, hè? Nou, dat zal ik hem wel eens afleren, hoor!'
Zonder dat Fleur in staat is één woord te zeggen, draait ze zich snel om en stuift de trappen op naar boven. Daar sluit ze de kamerdeur af en gooit zich huilend op bed. Bah, wat valt de vrouwe haar tegen! En nu begrijpt ze pas dat dit al jaren aan de gang is. Ieder keer als de boer weg was, moest Fleur al jaren terug vroeg naar bed, zogenaamd omdat de boerin ook vroeg onder de wol wilde. Ja, onder Dirk, beseft Fleur nu. Ze weet, dat ze hier geen minuut langer wil blijven. Morgen zal ze haar boeltje pakken en afreizen naar haar huisje. Ze zal Bruce alles verklaren en de oudjes zullen het fantastisch vinden. Dan kan ze ook nog wat voor hen zorgen. Voor haar verhouding met Bruce zal het ook beter zijn. Dan is ze weg uit het dorp hier, weg van Gijs, en dan zal die haar en Bruce wel met rust laten. Ja, zo zal ze het doen.
Beneden lopen er twee rond met kwaaie gezichten. Niet alleen omdat hun romance voortijdig verstoord is, maar nog veel

meer omdat ze ontdekt zijn door een huisgenoot. Die kan hen beiden ermee chanteren. Als de boer het hoort, zal Dirk de laan uit vliegen en de wereld zal voor de boerin hier ook te klein zijn. Kwaad op iedereen verlaat Dirk zijn verboden liefde, vloekend en tierend dat hij die Engelsman nog wel zal krijgen. Hij trekt zijn jas aan, zet zijn pet op en stapt richting het dorp. Hij gaat zich bezatten na zo'n pechavond.
Als de klok nog maar tien uur slaat, liggen Fleur en de boerin al in bed. De boerin angstig om het voorval en benauwd dat haar man achter de waarheid zal komen. Een verdieping hoger huilt Fleur bittere tranen. Allereerst is haar avond anders gelopen dan verwacht. Maar de ontdekking van overspel bij de boerin heeft haar diep geschokt. Nee, ze blijft hier niet langer dan hoognodig. Ze zal morgen de boer haar geld vragen en naar de twee oudjes vertrekken. Bruce moet met de jeep maar een middag of avond naar háár toe komen. Weg van alle narigheid, gekonkel en ruzie hier.
En zo slaapt ze uiteindelijk met een betraand gezicht in. Niet wetend wat haar nog allemaal te wachten staat.

HOOFDSTUK 16

Die zondagmorgen staat Fleur met hoofdpijn op. Ze heeft onrustig geslapen, als gevolg van die vervelende ontdekking gisteravond.
Vandaag zal ze zich zo veel mogelijk drukken hier op de boerderij, en hopelijk zal de tocht met Bruce naar de oudjes De Wijs en haar woninkje haar vervelende gedachten doen verdwijnen als sneeuw voor de zon.
Maar nauwelijks is ze bezig met de voorbereidingen van het ontbijt of Hector gaat als een bezetene tekeer. Ze zal maar even gaan kijken, alhoewel hij met die soldaten wel vaker aanslaat om niets.
Ze heeft nog maar net de deeldeur open of ze ziet twee auto's op het erf, die er anders niet staan. Uit de ene stapt de burgemeester met veldwachter Vogels. Uit de jeep daarnaast komen twee vreemde soldaten, die ze nooit eerder gezien heeft. En terwijl de geüniformeerden naar de schuur lopen waar alles in deze vroegte nog rustig is, komen de andere twee haar richting uit.
'Morgen, juffer, is de boer al op?' vraagt de veldwachter. Fleur schudt haar hoofd.
'Wilt u hem dan waarschuwen? Zeg maar dat het dringend is,' gaat de veldwachter verder. Fleur laat de gasten binnen en brengt hen naar de goeie kamer. Als ze daar binnenkomt verstart ze als ze de grote zetel ziet, waarin gisteravond die twee zich bevonden. Ze herstelt zich snel en zegt: 'Neem plaats, ik waarschuw de boer even.'
Maar deze komt de trap al af en vraagt wat dat allemaal zo vroeg op de zondagmorgen te betekenen heeft. Fleur haalt de schouders op en zegt hem welke gasten in de kamer op hem wachten. Dan gaat ze terug naar de keuken en bereidt het ontbijt voor.
Na tien minuten komt de boer haar vragen of ze even meekomt. In de kamer vraagt hij haar eerst te gaan zitten. Dan begint hij haperend te vertellen.
'Ja, Fleur, deze heren komen ons, maar vooral jou, niet zulk goed nieuws brengen.' Ze ziet dat hij er moeite mee heeft om

verder te gaan. Koortsachtig denkt Fleur na. Kan het misschien iets te maken hebben met wat zij gisteren ontdekt heeft? Ze wordt er knap onrustig van en frunnikt aan haar bonte schort. De boer schraapt zijn keel en ze ziet dat hij haar niet aan durft te kijken.
'Jouw vriend... ik bedoel Bruce... is... heeft... nee... is vannacht omgekomen, Fleur.' De boer wist met zijn zakdoek zijn klamme voorhoofd.
Even zit Fleur als verdoofd. Dan lacht ze, wat op de aanwezigen een vreemde indruk maakt.
'Maar boer, dat kan niet, gisteravond was hij bij me enne...'
Dan schiet haar te binnen dat hij terug naar het café is gegaan. Ze schiet overeind.
'Zeg dat het niet waar is! Nee... nee, zeg het dan...' Ze schreeuwt het uit.
Maar de boer kan niets zeggen. De burgemeester neemt haar bij beide armen, drukt haar neer in haar stoel, en zegt: 'Ja meisje, hij is vannacht om het leven gebracht...'
'Gijs!' valt haar zomaar uit de mond. 'Gijs Loonen,' zegt ze nogmaals en ze knikt erbij.
De burgemeester en de veldwachter knikken naar elkaar. Maar als de werkelijkheid echt tot Fleur doordringt vliegt ze weer overeind. Hysterisch krijst ze: 'Zeg toch, boer, dat het niet waar is... Zeg toch...' en ze slaat de nietsvermoedende boer op diens borst. De veldwachter houdt haar vast.
'De dokter, Wolters,' zegt burgemeester Boumans tegen de boer. Deze schiet naar de gang en belt. Dan loopt hij weer terug naar de kamer. Daar probeert Fleur zich los te wringen, terwijl ze schreeuwt: 'Laat me los, ik wil naar hem toe! Laat me dan toch los!'
Maar Vogels laat haar niet los, zelfs niet als ze probeert hem in zijn handen te bijten. Op het lawaai komt de boerin in haar ochtendjas de kamer binnen. Ze vraagt wat er in hemelsnaam loos is, ze heeft al zo'n hoofdpijn! Als de boer haar vertelt dat Bruce vannacht om het leven is gebracht, slaakt ze een gil en valt flauw. Het is maar goed dat haar man naast haar staat en haar in zijn sterke armen opvangt.

Dan kondigt Hector bezoek aan. Hopelijk de dokter, denkt de boer, niet wetend wat hij met zijn vrouw aan moet. Bovendien krijst Fleur aldoor: 'Laat me los!'
De dokter komt binnen. In één oogopslag is het hem duidelijk wie er het eerst behandeld dient te worden.
'Leg haar maar neer,' zegt hij tegen Wolters, met zijn hoofd knikkend naar de boerin. 'Zij komt later wel. Flauwgevallen zeker?' De drie mannen knikken tegelijk. Wolters zet zijn vrouw in de grote stoel, terwijl de burgemeester aan de dokter uitlegt waarom Fleur zo van streek is.
De dokter vervolgt: 'Leg Fleur maar even op deze tafel, Vogels, en help Vogels een handje, Wolters.' Maar dat is makkelijker gezegd dan gedaan. Krijsend en met een ongelofelijke kracht weert Fleur zich. Zelfs de burgemeester moet eraan te pas komen om haar liggend op tafel te krijgen. Dan geeft dokter Horbach haar een spuitje. Hij waarschuwt de anderen haar de eerste minuten niet los te laten. Maar langzaam, héél langzaam wordt het gekrijs minder, en uiteindelijk lijkt Fleur rustig op tafel te slapen.
Inmiddels slaat ook de vrouwe haar ogen weer open. Als de dokter haar pols voelt, vraagt ze wat er eigenlijk aan de hand is.
'Je bent, toen je het nieuws over Bruce hoorde, flauwgevallen, vrouw,' helpt de boer haar een handje.
'Och ja... wat vreselijk!' zegt de boerin, en over haar voorhoofd wrijvend: 'Ik heb zo'n hoofdpijn.'
'Aspirine is de beste remedie ertegen, dat heeft u zelf misschien wel in huis?' De dokter kijkt van de boer naar zijn echtgenote. Beiden knikken.
'Mooi zo. Leg Fleur even in bed of op die sofa. Laat iemand erbij blijven. Mocht ze wakker worden en nog zo hysterisch reageren, waarschuw me dan onmiddellijk, maar ik verwacht het eerlijk gezegd niet. Maar het is een hele schok voor haar. Je weet maar nooit.'
Nu richt hij zich tot de veldwachter en Boumans. 'Bruce omgebracht, zeiden jullie? En door wie?'
'Dat wordt onderzocht, alhoewel we al een verdachte hebben, maar daarover mogen we niets zeggen van de MP.'

De boerin wil weer naar bed met een aspirine. Zij wil in geen geval naast Fleur waken.
'Roep Bets even,' zegt de boer tegen haar, want hij moet de heren begeleiden en eventueel de MP spreken. De vrouwe gaat Bets roepen en verdwijnt dan naar de slaapkamer.
Even daarna komen de beide marechaussees van de Britse MP naar de hoeve toe, en stappen de keuken in. Wolters biedt ieder een stoel aan. De dokter blijft staan. Hij wil eigenlijk weg, maar Wolters vraagt hem nog even te blijven om als tolk te dienen.
Een van de marechaussees vraagt wie er allemaal in de hoeve wonen. De dokter vertaalt het.
'Ik,' zegt de boer in het Nederlands. Dat verstaat de Britse MP nog.
'Waar was u gisteravond van tien tot twaalf?' vragen ze de boer.
'Bij mij,' klinkt het uit Boumans' mond, voor de boer kan antwoorden.
'Mooi. Wie wonen er nog meer hier?'
'Mijn vrouw, en Fleur,' is het antwoord.
'Halen,' klinkt het, maar de dokter legt de twee uit wat er met Fleur gebeurd is en dat zij als Bruce' verloofde niet in beeld kan komen. 'De vrouwe is de hele avond binnen geweest, zij ligt met hoofdpijn op bed, en Bets, de meid, was niet hier, maar thuis in het dorp.'
'Wonen er nog meer personen hier?'
De boer schudt zijn hoofd. Dan realiseert hij zich Dirk. 'Ja, Dirk, de knecht is intern.'
'Halen,' klinkt het weer. Maar de boer schudt zijn hoofd. 'Dat kan niet, hij zit de koeien te melken.' Ze gaan er zelf heen, maar Dirk verstaat geen Engels. De dokter wordt erbij gehaald. Die vertaalt: 'Nee, hij is de hele avond op zijn kamer geweest, heeft niks gezien, niks gemerkt.'
Dan verdwijnen de twee marechaussees weer naar de schuur.
'Tjongetjonge,' zegt de boer. 'Daar strijdt de goede man al een halfjaar aan het front en dan wordt hij hier in ons dorp omgebracht. Maar heren, ik zou mijn pijlen maar eens richten op Gijs van de bakker. Ik vind het beroerd om te zeggen, maar volgens Fleur bedreigde hij Bruce, omdat hij met haar omging en Gijs

vond dat hij de eerste rechten op haar had.'
De twee knikken, die weten duidelijk meer, ziet de boer, maar ze houden angstvallig hun mond.
Als even later de twee MP's uit de schuur komen, sommeren zij Vogels en Boumans om mee naar het gemeentehuis te gaan. Gauw fluistert Boumans Wolters in: 'Ik bel je later wel op.' Dan starten de auto's en keert langzaam de rust terug. Ook de dokter vertrekt weer.
De boer gaat naar Bets. Hij ziet dat Fleur op de sofa slaapt. Hij vraagt: 'Zal ik even waken, Bets? Dan kun jij het ontbijt klaarmaken en wat eten.'
Bets knikt. De boer schuift een stoel naast de sofa. Godallemachtig, wat ging dat kind tekeer. Nauwelijks zit hij of zijn vrouw verschijnt in de deuropening. 'Wat moest die MP?' vraagt ze angstig.
'Och, vragen waar ieder van ons gisteravond was, vooral tussen tien en twaalf.'
'En?' klinkt het weifelend.
'Tja,' doet Wolters geïrriteerd. 'Jij was thuis, Fleur om tien uur blijkbaar ook.' Het ontgaat de boer dat zijn vrouws lippen trillen als ze vraagt: 'En Dirk? Wat zei die?'
'Dat die op zijn kamer was allicht, en ik was tot halfeen bij de burgemeester. Dus wij komen geen van allen als verdachte in aanmerking. Logisch toch?'
De boerin zucht opgelucht. 'Dan ga ik maar weer even rusten.' De ander knikt.
Na een paar minuten neemt Bets het weer van hem over. Hij gaat maar ontbijten, Dirk zal er ook wel zo zijn. Maar Dirk komt niet, zodat hij alleen zijn brood eet. Daarna loopt hij naar de deel en roept naar Dirk.
'Ja baas, wat is er?' klinkt het vanuit zijn kamertje.
'Je moet toch nog eten?'
'Nee baas, ik barst van de koppijn, ik heb net gemolken maar blijf vandaag in mijn nest.'
'Verdorie, het lijkt hier wel een besmettelijke ziekte, die koppijn.' Mopperend loopt de boer het erf op. In de schuur hoort hij enkel zacht gepraat. De makkers zullen natuurlijk ook onder

de indruk zijn van het gebeurde. Dan beseft hij dat de hond en de kippen nog gevoerd moeten worden en besluit het voor deze keer maar zelf te doen.
Daarna gaat hij naar binnen en gaat in de leunstoel bij het fornuis zitten. Hij steekt een sigaar op en leest verder in de krant van gisteren, die was blijven liggen. Dan gaat de telefoon en snelt hij naar de gang.
'Zozo... Gijs Loonen gearresteerd. Ja Boumans, dat had ik wel verwacht, die bedreigde Bruce al, volgens Fleur... Ja... ja... Nou bedankt voor de boodschap en prettige zondag verder... Ja... Dank u wel... Tot morgen, ja.'
Hij hangt de hoorn op de haak. Tjongetjonge, had hij het niet gedacht? Gijs Loonen. Even aan zijn vrouw vertellen.
Die ligt met natte doeken op haar hoofd in bed, en kijkt op als hij binnenkomt.
'Nou,' steekt hij meteen van wal, 'als ik het niet dacht. Gijs van de bakker is gearresteerd op verdenking van de moord op Bruce Mason.'
'Gelukkig,' fluistert de vrouwe.
'Nou, noem jij dat maar gelukkig,' zegt de boer verbaasd.
'Nou ja... ik wilde... ik bedoel, de dader moet toch gestraft worden?'
'O ja, natuurlijk en niet zo weinig ook, wat mij betreft,' zegt de boer grimmig.
De vrouw zucht weer eens, legt de doeken goed en sluit haar ogen.
'Iedereen barst hier van de koppijn vanmorgen. Fleur, jij, Dirk.'
Bij het horen van de naam Dirk doet de boerin de ogen weer open. 'Die ook al?' vraagt ze steels.
'Ja, alleen ik en Bets hebben het nog niet, maar ik verdwijn, voor je mij ook nog aansteekt.' En de boer beent naar beneden.

Het duurt uren voor Fleur wakker wordt en dat gebeurt als de dokter toevallig net weer even komt kijken. Ze slaat haar ogen op en ziet alleen de arts in de kamer.
'Gaat het wat, Fleur?' vraagt hij vriendelijk.
'Waar ben ik, dokter, wat is er gebeurd?' Ze kijkt verbaasd om

zich heen, en ziet dat ze in de goeie kamer op de sofa ligt.
De dokter twijfelt. Zal hij de waarheid weer boven halen? Maar hoe zal ze reageren? Eens kijken of ze misschien zèlf zich iets van het gebeurde herinnert.
'Weet je waarom je hier ligt, Fleur?'
Ze schudt met haar hoofd.
'Ook niet wat de burgemeester en de veldwachter kwamen doen?' gaat de dokter verder. Fleur lijkt diep na te denken, dan volgt plotseling de reactie. Ze slaat beide handen voor haar gezicht en huilt, terwijl ze fluistert: 'Bruce is dood... Bruce is dood!'
De arts laat haar begaan, ook als ze met lange uithalen en schokkende schouders haar verdriet de vrije loop laat. Hij weet dat huilen de beste verwerking is, veel beter dan de boel opkroppen.
Na tien minuten wordt het huilen minder, en is Fleur enkel nog een zielig hoopje mens. De dokter zoekt in zijn tas en haalt twee poeders tevoorschijn.
'Fleur,' zegt hij vriendelijk, 'neem de ene zo meteen en de andere vanavond voor het slapengaan in, beloof je me dat?'
Fleur knikt. Dan wordt er op de deur geklopt en komt de boer binnen.
'Luister, Wolters,' zegt de dokter tegen hem, 'het beste is dat Fleur blijft rusten, hier of in bed, wat ze wil. Indien nodig kan ik gebeld worden, maar ik verwacht het niet. Deze poeder moet ze nu, de andere vanavond voor het slapengaan innemen.'
'Dokter,' klinkt het smekend.
'Ja Fleur?'
'Mag ik Bruce zien?'
'Nu niet, maar morgen of overmorgen wel, als de MP hem vrijgeeft. Dan gaan we samen. Afgesproken?'
Fleur knikt. Dan vraagt de dokter aan Bets om Fleur in bed te helpen, daar kan ze beter uitrusten dan hier op de sofa. Gewillig gaat Fleur daarna naar boven, ondersteund door Bets. Wat een zielig hoopje, denkt Bets, als ze Fleur helpt met uitkleden en in bed stopt. Er is niets meer van die kordate meid over. Ze spreekt af dat Fleur belt als ze wat nodig heeft. Bets haalt de

tafelbel. Maar ze moet van Fleur beloven dat zij dan zelf komt, niet de boerin. Bets belooft het. Ze heeft echt te doen met dat hoopje ellende. Op de trap denkt ze: Hoe is het mogelijk, gisteren was ze nog zo stralend en actief en vandaag is ze een hopeloze figuur.
Dan ruimt ze in de keuken de ontbijtboel maar op. Alleen de boer en zijzelf hebben wat gebruikt. De rest, zelfs de grote eter Dirk, is niet verschenen.
Nou, het is me het zondagje wel, bedenkt ze.
In de schuur is het verdriet groot. Vooral degenen die gisteren amok maakten in de herberg, voelen zich schuldig. Gijs en zijn kornuiten hadden net als zij behoorlijk gedronken. De ruzie ontstond om een paar meiden uit het dorp die liever bij hen zaten en gein maakten dan bij hun dorpsgenoten. Dat zinde het stelletje niet en over en weer werd eerst gescholden, daarna met bier gegooid en toen wilde men op de vuist. Vooral Gijs Loonen was door het dolle heen. De herbergier wilde tussenbeide komen, maar dat hielp bitter weinig. Toen ging de cafédeur open en was Bruce binnengekomen. Hij had zijn mannen toegesproken en gezegd geen herrie te maken of anders maar weg te gaan. Een paar waren vertrokken. Bruce was bij de anderen gaan zitten en had de gemoederen wat bedaard. Alleen Gijs had steeds rotopmerkingen naar hem gemaakt en hem bedreigd. Maar Bruce had gedaan of hij het niet hoorde. Floor Grob had Gijs ook aangesproken en tegen hem gezegd dat hij liever had dat hij wegging, in plaats van de boel hier te verziеken. Gijs was toen vertrokken, maar had Bruce nog even vernietigend aangekeken. Deze had nog een pilsje meegedronken en toen de sfeer weer rustig was, was ook hij opgestapt. Grob had hem nog bedankt voor zijn interventie.
Toen tegen twaalven de andere soldaten terug naar de boerderij waren gegaan, hadden ze zo'n vierhonderd meter vóór de oprijlaan Bruce gevonden in de greppel. Dood... Toegetakeld en met de hersens ingeslagen, waarschijnlijk met een knuppel. Zij hadden hem naar de boerderij gedragen en de onderofficier was de MP gaan waarschuwen. Die hadden hem ter sectie meegenomen en 's morgens in alle vroegte de burgemeester en de

veldwachter op de hoogte gebracht. Vanmorgen had de MP hen allen ondervraagd. Iedereen die in het café was geweest, tipte die Gijs Loonen als de dader, omdat hij de hele avond al Bruce uitgedaagd en bedreigd had. Maar voor hen was het onbegrijpelijk dat Bruce die jongen niet had aangekund. Zij kenden hem wel anders aan het front.
Alleen als hij stiekem van achteren met een knuppel was neergeslagen, was zoiets mogelijk geweest. Van voren had hij zich ongetwijfeld beter verweerd.
De verslagenheid onder het bataljon is groot.
De onderofficier dient nu het bevel over te nemen. Maar de reden waarom verschaft hem geen greintje voldoening.

HOOFDSTUK 17

De impact van het drama Bruce is groot, heel groot in het dorp. Velen kunnen niet begrijpen dat Gijs van de bakker tot zoiets in staat is geweest. Anderen wijten zijn bruusk optreden aan zijn gedwongen verblijf in de werkkampen van Duitsland. Iedereen is het er wel over eens dat hij bij terugkeer in zijn dorp niet meer de Gijs van vroeger was, die een vrolijke, goedlachse jongeman geweest was, altijd in voor een geintje of kwinkslag. Maar dit... nee, dit hadden de meesten hem niet toegedacht.
Zijn ouders zijn door het gebeuren helemaal van slag. De blijdschap over zijn terugkeer heeft plaatsgemaakt voor boosheid om wat hij de ander heeft aangedaan. Tot nu toe hebben ze het niet kunnen opbrengen om hem te bezoeken in de gevangenis. Zijn moeder laat zich uit schaamte niet meer in de winkel zien en de bakker verschuilt zich door hard te werken, achter in zijn bakkerij. De winkel wordt gedaan door een meisje uit een naburig dorp, die zich dus door onwetendheid over het gebeuren op de vlakte kan houden.
Maar de pijn bij de ouders en familieleden is er niet minder om.
Op Heidelust is de sfeer na het drama ook totaal veranderd. Fleur is nauwelijks in staat goed te functioneren, niet alleen door de dood van Bruce, maar vooral ook door de ontdekking van de geheime verhouding tussen de boerin en de knecht. Ze proberen elkaar alle drie te ontlopen, wat uiteraard nauwelijks lukt.
Fleur heeft al aangegeven te willen vertrekken van de hoeve. De boer probeert haar om te praten. ‘Straks, meidje, als alles achter de rug is. Dan zit Gijs in de gevangenis, is Bruce begraven en wordt de vrede, die niet lang meer kan duren, een feit. Dan keert alles weer in rustig vaarwater, ook voor jou. Bovendien... ik wil je eigenlijk helemaal niet kwijt. Je bent een geweldige meid voor ons, haast een eigen dochter. Je mag het gerust weten, ik heb een zwak voor je en zal proberen alles te doen om je leven weer op de rails te krijgen.’ En hij kijkt haar met vochtige ogen aan.
Fleur merkt dat zijn woorden uit de grond van zijn hart komen.

Het doet haar goed. Ze heeft echter ook wel begrip voor het standpunt van de vrouwe, in tegenstelling tot de boer, die ook haar mening over Fleur vraagt.
'Zo,' oppert hij, 'en nu jij, vrouw, wat vind jij ervan dat Fleur weg wil?'
De vrouwe zit wat zenuwachtig met haar handen in de schoot. Ze krijgt een rood hoofd en stamelt uiteindelijk: 'Ik weet... eh... ja, ik weet het niet. Als Fleur per se weg wil... nou ja, dan...'
De boer valt boos tegen haar uit. 'Nou, ik heb je over haar wel anders gehoord, toen ze hier kwam. We hadden het niet beter kunnen treffen, zei je toen, en nu hakkel je wat woorden die Fleur niet verdient.'
De boerin staat nerveus op en verlaat snel de keuken. De boer blijft hoofdschuddend en met een verontschuldigende blik naar Fleur achter. Ach, Fleur kan haar wel begrijpen. De boerin zal blij zijn als degene die haar en Dirk kan verraden, hier vertrokken is. Fleur vermoedt dat Dirk ook vindt dat zij van de hoeve weg moet. Zullen die twee daarna hun verhouding willen voortzetten? Fleur kan er met haar verstand niet bij.
Maar ondanks de goedbedoelde woorden van de baas besluit ze om na de begrafenis van Bruce te vertrekken van de hoeve. Op de vraag van de boer waar ze dan in hemelsnaam heen wil, antwoordt ze: 'Voorlopig ga ik naar mijn huisje terug, de oudjes De Wijs gezelschap houden. Misschien kan ik hier en daar in het dorp als werkster aan de slag. Misschien wel weer op een hoeve. Ik zie wel. Ik wil graag vanmiddag naar de dokter en als het lichaam van Bruce vrijgegeven wordt, wil ik met zijn makkers afscheid van hem nemen, hem de laatste eer bewijzen. Daarna wil ik vertrekken.'
De boer, die wel inziet dat verder praten zinloos is, knikt. 'Ik zal je de laatste dag uitbetalen waar je nog recht op hebt, Fleur, maar met pijn in mijn hart, dat zeg ik je.' En weer ziet ze dat hij het er moeilijk mee heeft.
Dirk vertoont zich alleen in de keuken als het niet anders kan, bij de koffie en de maaltijden. Hij zegt nauwelijks nog wat en kijkt noch de vrouwe, noch Fleur aan. De sfeer is daardoor heel

anders dan een week geleden, benauwend. Fleur wenst dat ze hier snel vandaan is.
Die middag neemt de dokter alle tijd voor haar. Op zijn vraag wat ze verder wil, zegt ze: 'Luister, dokter, het meest ben ik van slag door de dood van mijn geliefde. Al onze plannen om na de oorlog samen verder te gaan, hetzij hier in Nederland hetzij in zijn vaderland, zijn in één klap weggevaagd. Maar daarnaast heb ik op de hoeve iets gezien waar ik verder niet over kan en wil spreken, het zou verraad zijn en dat wil ik niet. Maar sinds die ontdekking is het voor mij niet meer mogelijk om daar goed te functioneren. Ik wil er liever vandaag nog dan morgen weg en mijn vraag aan u is: Wilt u na de begrafenis van Bruce – waar ik bij wil zijn, samen met zijn makkers – mij naar mijn huisje rijden?' En met een hoopvolle blik kijkt zij hem aan.
'Wat het laatste aangaat... Natuurlijk Fleur, ik zou me schamen om nu niet voor jou klaar te staan, terwijl jij heel de oorlog lang dat onbaatzuchtig en met gevaar voor eigen leven wel deed. Nee, dat is een uitgemaakte zaak. Maar dat andere... Kan ik je daarin niet helpen? Het lijkt me vreselijk met iets van de hoeve te gaan dat je erg bezwaart en dat je misschien nog lange tijd meedraagt.'
Fleur schudt haar hoofd. 'Nee, zoals ik al zei, dokter, ik wil geen verrader zijn en als ik daar eenmaal weg ben, zal het wel slijten.'
De arts prakkiseert zich suf wat de reden van dat verraad kan zijn. Smokkel misschien... of woekerprijzen voor etenswaar vragen aan mensen die in grote nood verkeerden? Of zou ze last van opdringerigheid hebben van de boer of van een van de knechten? Hij acht dat uitgesloten. Als het gaat om een van de knechten, dan kan ze daarover toch melding maken bij de boer en dan vliegt die knecht er gegarandeerd uit bij Wolters. Zó goed kent hij de boer wel.
'Nou, nogmaals... het wegbrengen is geen punt. Wat het andere aangaat: ik ben altijd bereid je daarin te helpen, al is het midden in de nacht, Fleur, goed begrepen?' Hij ziet dat ze hem met dankbare blik toeknikt.
'Toch wil ik je nog op één ding wijzen. Als het iets zou zijn

waarover ik verder moet zwijgen, dan heb ik mijn ambtsgeheim om dat te doen. Maar misschien kan de pastoor je verder helpen. Ook hij heeft een zwijgplicht, maar als je met hem spreekt, zal het je misschien opluchten. Je kijkt maar, volg je hart in dezen. En voor je naar de teraardebestelling van Bruce gaat, kom dan even langs, dan kan ik je zo nodig een spuitje geven, opdat je je emoties wat beter kunt beheersen. Die toestand van een paar dagen terug wil je zelf toch ook niet meer, is het wel?'
Terwijl Fleur nee schudt, antwoordt ze: 'Ik zal wel zien, dokter. Als ik denk dat het nodig is, kom ik langs. Enne... bedankt voor alles.' En ze reikt hem de hand.
'Voor jou graag gedaan, meidje... heel graag gedaan! Maar ik zie je nog, ik neem nog geen afscheid.' Hij klopt haar op de schouder en laat haar zelf uit.
Het gesprek heeft Fleur goedgedaan en het voorstel om de pastoor in te schakelen lijkt haar wel wat, daar moet ze nog eens over nadenken. Het zal haar misschien inderdaad wat opluchten, zoals dit gesprek ook. Ze zal nog wel zien.
Maar veel tijd krijgt ze niet meer.
De onderofficier komt haar berichten dat morgen Bruce zal worden bijgezet op het provisorische soldatenkerkhof in de buurt van Overloon, en dat ze 's ochtends om negen uur mee kan rijden in zijn jeep. De mannen willen allemaal mee, dus de truck zal ook rijden.
Ze zoekt die dag naar wat passende kleding. Omdat ze de boerin niets wil vragen, vraagt ze aan Bets of die iets stemmig zwarts heeft. Haar donkere wintermantel is geen probleem, maar haar bonte jurkje vindt ze weinig passend.
De boer hoort van haar vraag, en hij stuurt haar subiet naar het dorp, naar de kledingwinkel van Egbers. Ze moet de jurk maar op zijn rekening laten zetten, die krijgt ze van hem.
Ze zoekt een eenvoudig jurkje uit. Och, misschien hoeft ze haar jas niet eens uit te doen, tenzij de militairen ergens een kop koffie gaan drinken. Nou ja, ze ziet wel.
Die middag belt ze naar de dokter, en vraagt of hij haar overmorgen weg wil brengen. Dat kan, het wordt dan wel in de

namiddag. Op de vraag van de arts of zij nog langskomt voor een spuitje of een poeder, zegt ze dat het niet nodig zal zijn als zij zich morgen zó voelt als nu. Ze is welkom, hoe vroeg dan ook, is zijn antwoord.

De volgende ochtend is er een hele drukte op het erf. Fleur kan nauwelijks een boterham door haar keel krijgen. Wel een paar happen en enkele koppen koffie. Gisteren heeft ze een boeketje rozen gehaald in een naburig dorp op de fiets. Ze waren schandalig duur geweest, maar dat deed haar niets. Het was misschien wel het laatste wat ze kan doen voor Bruce.

De boer verrast haar die morgen. 'Ik ga met je mee om Bruce de laatste eer te bewijzen, ik vind het niet meer dan mijn plicht. De vrouwe wil niet, zij zegt dat ze dat niet aankan. Onzin... als je maar wilt!' En voor het eerst bemerkt Fleur dat hij zijn vrouw openlijk afvalt.

Maar ze vindt het geweldig dat de boer de moeite wil nemen om met haar mee te gaan. Hij heeft het blijkbaar ook al verteld tegen de onderofficier, want die noodt hem ook in zijn jeep. De soldaten zijn allen in hun beste uniformen. De koppelriemen en geweren blinken in de zonnestralen, die flauwtjes door het wolkendek breken.

Gesproken wordt er nauwelijks, ook al door de taalbarrière.

Ze zijn te vroeg in Overloon. De boer en Fleur schrikken van de puinhopen. Geen huis staat er meer overeind. Hier hebben ze dus gestreden. Hier zijn er tientallen, misschien wel honderden gesneuveld voor hún vrijheid. Het maakt iedereen stil en stemt tot nadenken.

Ze worden in een grote legertent ontvangen. De boer en Fleur worden door de onderofficier voorgesteld aan de Britse generaal-majoor Whistler, bevelhebber van de derde Britse Infanterie Divisie. Fleur begrijpt niet veel van zijn woorden, maar ze lijken haar hartelijk en gemeend.

Het is warm in de tent en nu komt haar jurkje van pas. Ze krijgen thee met cake. Na een halfuur is het verzamelen.

Buiten op een grasveld stelt het bataljon zich op. Fleur ziet uit een kleine tent vier van Bruce' makkers komen, met een baar waarop een kist staat met daarover de Britse vlag gedrapeerd.

Ze had Bruce niet meer mogen zien, de echte reden wilde niemand zeggen.
Ze ziet ook twee soldaten met trompet, die zich vóór de kist opstellen. Dan wenken de generaal-majoor en de onderofficier hen. Ze moeten naast hen komen staan, direct achter de baar. Het ontroert Fleur, zó dicht bij Bruce te zijn. Daarachter plaatst zich het bataljon. Helemaal voorop loopt nu een soldaat met een zwart omfloerste trom, en als de stoet zich in beweging zet, slaat hij steeds bij elke pas een doffe dreun.
Ze lopen het grasveld af, een zandweg in. Na honderd meter slaan ze links af. Overal ziet Fleur geknakte bomen. Hier heeft Bruce gestreden, maar daarbij niet het leven gelaten. Wat liggen hier al een aantal graven, zeker dertig, veertig misschien. Alleen Britten, weet ze.
Bij een open kuil stelt het bataljon zich rond de opening op. Aan het hoofdeinde van het graf mogen zij staan, samen met de generaal-majoor en de onderofficier.
De generaal-majoor spreekt woorden waarin ze enkel af en toe de naam Bruce verstaat. Dan spreekt de onderofficier, zeker namens het bataljon. Zij ziet dat hij het moeilijk heeft. Ze ziet ook dat diverse kameraden het niet droog houden, maar ze staan stram in de houding, hun geweren naast hen.
Dan wordt bij een gebaar van de onderofficier de vlag van de kist gehaald en keurig door twee soldaten opgevouwen. Daarna wordt hij aan de generaal-majoor gegeven. De vier soldaten die de kist het laatste stuk op het kerkhof gedragen hebben, stellen zich naast het graf op. Zij pakken de touwen om de kist te laten zakken. Twee anderen staan naast hen om de balken, waarop de kist rust, weg te nemen.
De onderofficier komt met een bos rozen in zijn hand naar Fleur toe en vraagt: '*Would you like to give the flowers to Bruce*?' Ze begrijpt dat zij de bloemen op de kist mag leggen. Ze stapt naar voren, kust de rozen, knielt even voor de kist neer en legt de ruiker op de kist. Dan drukt ze op beide handen een kus en legt die één moment op de blankhouten kist. De boer kan zijn tranen bij dit ontroerende moment niet inhouden en laat ze maar de vrije loop, net als velen van Bruce' makkers. Dan staat

Fleur op, krijtwit. Ze neemt naast de boer plaats en voelt hoe die zijn hand in de hare legt. Dat doet haar erg goed. Even kijkt ze schuin naar hem op met een dankbare blik, ze ziet zijn ontroering.
Dan worden bevelen gegeven door de onderofficier. De soldaten richten hun geweren omhoog. Bij het '*fire*' klinken er plotseling twintig, misschien wel dertig schoten. Het salvo veroorzaakt een echo in de lucht boven de gehavende bossen van Overloon.
Daarna, terwijl de vier dragers de kist langzaam laten zakken in de diepte, klinkt een trompetsignaal. Het is de Last Post, een laatste eerbetoon aan de overledene. Rillingen lopen nu over de rug van Fleur. Tot nu toe heeft ze zich wonderwel goed gehouden, nu vloeien ook bij haar de tranen rijkelijk over de wangen en schokken haar schouders. Ze voelt de sterke arm van de boer om haar heen en is blij dat hij haar op dit moeilijk moment terzijde staat.
Ten slotte nemen de soldaten een voor een met een saluutgroet vóór de kist afscheid. De eerbied waarmee dit alles gebeurt, heeft Fleur niet voor mogelijk gehouden. De boer en zij mogen dan de laatste eer bewijzen door een blik, een stil gebed, en een laatste groet aan de kist met de overledene. Dan salueren de generaal-majoor en de onderofficier als allerlaatsten en gaan ze, met de stille trom voorop en in het gelid, terug naar de grote tent.
Dan gebeurt er iets wat Fleur totaal niet verwacht heeft. Met de generaal-majoor en de onderofficier voorop, komt iedereen haar condoleren met het verlies van haar geliefde. De stoere kerels, die hier zij aan zij met Bruce gevochten hebben, komen haar de hand drukken, prevelen hun deelneming, laten hun tranen de vrije loop.
Ze vindt het ongelooflijk dat men zoveel eerbied voor een overleden kameraad opbrengt, zelfs op het slagveld. Het raakt haar diep, maar doet haar ook onnoemelijk veel goed.
Er is koffie en zelfs zijn er broodjes. Dan verontschuldigt de generaal-majoor zich bij haar en de boer, maar andere plichten roepen hem. Zij hebben er alle begrip voor.

Op de terugweg wordt er niet veel meer gesproken. Op de hoeve bedanken ze de onderofficier. Hij zegt dat de dank geheel aan zijn kant is.
Met tranen in haar ogen loopt Fleur naar de kameraden toe en zegt in haar beste Engels: '*Thank you, boys, for what you did for Bruce and me. Thank you very, very much.*' Overal klinkt: '*No problem at all, Fleur... it was our pleasure...*'
Ze begrijpt dat ze het met liefde voor Bruce en haar gedaan hebben. Dat sterkt haar en geeft veel voldoening. Ze bedankt ook de boer voor zijn steun aan haar. Maar hij wil van geen dank weten. Het enige wat hij erover aan tafel zegt, als zijn vrouw vraagt hoe het is gegaan, is: 'Je had er bij behoren te zijn.' Meer niet, maar ze ziet aan zijn blik dat daar het laatste woord nog niet over gesproken is. De boerin slaat beschaamd haar ogen neer.
En weer voelt Fleur dat ze blij zal zijn als ze morgen hier die gespannen sfeer zal kunnen ontvluchten.
Ze trekt zich die middag terug op haar kamer en schrijft in haar schriftje over het afscheid van haar geliefde.
Niet dat zij de indrukken van vanmorgen snel zal vergeten, maar later – als de tijd de ergste wonden geheeld zal hebben – wil zij nog eens na kunnen lezen hoe zij en al die anderen haar geliefde hebben begraven in de bossen van Overloon.

HOOFDSTUK 18

Zelfs het stralende zonnetje kan de volgende dag geen lachje toveren op de gezichten van de bewoners van Heidelust.
Fleur heeft deze morgen haar kamer leeggeruimd en heeft naast de oude tas waarmee ze kwam, nu aanzienlijk meer mee terug te nemen.
Een grote plunjezak biedt uitkomst, nadat ze het aanbod van de boerin om een koffer van haar te nemen heeft afgeslagen. Nee, dan redt ze zich liever met deze zak.
Nu het afscheid nabij is, voelt ze zich toch gespannen. Och, met Bets en Mats en de boer zal het wel lukken om zich normaal te gedragen. Maar hoe zal het zijn als ze oog in oog met die twee anderen komt te staan en hun de hand moet drukken? Afijn, laat maar komen wat er komt, daarna is ze voorgoed weg van de hoeve.
Als ze voor haar raam staat en uitziet over de tuin, gaat het haar toch aan het hart, dit alles te verlaten. Een plek waar ze toch jarenlang gelukkig is geweest. Maar ze beseft: nu is er geen weg meer terug en dat wil ze ook niet.
Van het middageten krijgt ze weinig door haar keel. Er wordt ook bar weinig gezegd. Mats en Bets, die toch al geen praters zijn, zeggen nauwelijks iets. Dirk zit alleen schuw over zijn bord gebogen en heeft nergens anders oog voor, zeker niet voor haar. Dat is weleens anders geweest, bedenkt ze en het brengt een flauw lachje rond haar mond. De boerin lijkt ook alle aandacht te richten op haar maaltijd en eigenlijk laat alleen de boer wat van zich horen, maar hij krijgt weinig respons en kijkt bevreemd de kring eens rond.
Iedereen is zichtbaar blij als er een kruis geslagen kan worden en men weer aan zijn of haar arbeid kan. Aangezien de dokter er zo zal zijn, hoeft Fleur niets meer te doen.
De boer vraagt of zij even meegaat naar de goeie kamer. Ook zijn vrouw noodt hij daartoe uit. Op haar vraag of dat nou moet, antwoordt hij kribbig: 'Ja, dat moet! Of is Fleur jou geen waardig afscheid waard?' Beschaamd volgt ze hem.
'Ga zitten, Fleur.' De boer wijst haar een stoel aan de tafel.

Gelukkig, denkt Fleur, dan zit ik tenminste met mijn rug naar de grote stoel, die alleen maar vervelende associaties oproept bij mij.
'Fleur, ik blijf het jammer, ja doodjammer vinden dat je ons verlaat. Enerzijds heb ik er begrip voor, anderzijds had ik je dolgraag hier gehouden. Maar we respecteren jouw besluit.'
Vreemd, denkt Fleur, dat hij het eerste in de ik-vorm, het laatste in de wij-vorm zegt. Maar natuurlijk, de boerin is wél blij dat ze gaat, vandaar.
De boer gaat verder: 'Allereerst ga ik je uitbetalen waar je recht op hebt.' En hij loopt naar het grote, zware dressoir, opent dat en draait een sleutel van een kastje daarin open. Hij pakt daaruit een enveloppe en sluit het dressoir. Dan keert hij terug aan tafel. 'Je hebt nog honderdvijftig gulden te goed. Hier zitten er tweehonderd in, de rest is een afscheidscadeau, vanwege je fijne opstelling al die jaren op onze hoeve.'
'Maar boer, dat hoeft niet! Heus... ik heb het altijd met liefde en plezier gedaan. Nee... die extra vijftig wil ik niet.' En ze wil de enveloppe openmaken.
Maar de boer legt zijn hand op de hare en kijkt haar recht in de ogen aan. 'Geen denken aan Fleur, wij willen dat zo en daarmee basta.'
Fleur begrijpt dat zijn wil toch wet zal zijn hier, en zegt: 'Nou, bijzonder bedankt dan.'
'Graag gedaan en als je nog eens mocht besluiten om hier terug te keren, dan ben je altijd welkom, wat jij, vrouw?' Dat laatste is duidelijk niet afgesproken, want de boerin stottert: 'Ja... als... eh... zij dat wil.' Maar ze kijkt daarbij Fleur niet aan.
'Precies!' zegt de boer kordaat. Hector maakt aan de ceremonie een einde door de longen uit zijn lijf te blaffen. Gelukkig, denkt Fleur. 'De dokter,' stelt de boer nuchter vast en hij verheft zich van zijn stoel. Hij geeft Fleur een ferme hand en zegt: 'Bedankt, meid, voor alles en dat was hier niet gering.'
Ze kijkt hem dankbaar aan. Ze denkt daarbij: zijn figuur zou het zo niet zeggen, maar hij is in zijn hart geen kwaaie boer. Dan geeft de boerin haar een hand. En nauwelijks verstaan-

baar, terwijl ze de andere kant op kijkt, zegt ze: 'Ook bedankt voor alles.' Het is maar goed dat de boer nu met de rug naar hen toe staat, denkt Fleur.
In de keuken is enkel Bets. Deze komt op haar toe. Ze omhelst haar en zegt: 'Bedankt, Fleur, voor de prettige samenwerking. Het was een plezier met jou hier de boel te beredderen. Ik zal je missen,' en ze zoent Fleur op beide wangen. Fleur ziet waarachtig vochtige ogen bij de ander. Ze moet er zelf een paar maal van slikken.
Buiten heeft de boer al haar bagage in de laadbak gedeponeerd en behoeft ze enkel in te stappen. Tenminste, dat denkt ze. Maar dan gaat de schuurdeur open en verschijnen alle soldaten, met de onderofficier voorop. Iedereen komt haar een hand geven. Ze wensen haar alle goeds. '*Thank you, boys and God bless all of you*,' zegt Fleur zeer ontroerd.
Dan komt Mats aangesloft. Hij pakt haar beide handen en fluistert schor: 'Het ga je goed, meidje, je verdient het, hoor.'
'Dank je, Mats,' zegt Fleur ontroerd. Van Dirk is gelukkig geen spoor te bekennen. Tot slot loopt ze nog naar Hector, knielt heel even bij hem neer, en strijkt hem over zijn ruige kop. Dan stapt ze in en als de auto het erf verlaat, applaudisseren alle soldaten. Hun afscheidsgroet. Dat laatste doet Fleur veel, heel veel.
Zij heeft de makkers van Bruce in haar hart gesloten. Voor altijd.

En terwijl Fleur op weg is naar haar woninkje, stapt de oude pastoor van het dorp de gevangenis in de stad binnen, om op bezoek te gaan bij een van zijn parochianen.
Gijs Loonen is verrast de oude Zeelen te zien. Hij mag in een apart kamertje bij hem aan tafel zitten.
De pastoor ziet een bleke jongeman voor zich met holle, doffe ogen, die zich zeker ongemakkelijk voelt bij zijn zielenherder. De pastoor opent als eerste het gesprek door Gijs een hand te geven en te zeggen: 'Zo, Gijs, ik kwam eens kijken hoe het jou vergaat, eigenlijk liever niet hier, maar het is niet anders.'
Gijs weet daarop niet zoveel te zeggen. 'O ja, voor ik het ver-

geet, ik moet je de groeten van thuis doen. Tot nu toe konden ze het niet opbrengen om te komen, maar dat verandert straks wel, hoor, jongen.' Gijs haalt zijn magere schouders op. Enerzijds begrijpt hij het wel, anderzijds... hij is toch hun zoon?
'Ik zie wel, Gijs, die tijd in Duitsland heeft je veranderd. Misschien is dat wel de diepere grond, waarom alles zo gelopen is. Vroeger was je de braafheid zelve, nietwaar? Op een geintje na, maar dit laatste was geen geintje meer, maar bittere ernst.'
Gijs knikt. Hij heeft tot op heden eigenlijk nog geen woord gezegd, maar voelt nu toch wel de behoefte. Haperend begint hij: 'Ge hebt gelijk, meneer pastoor. Die rottijd in Duitsland heeft me genekt, me anders gemaakt. Ik weet niet goed hoe ik het zeggen moet...'
'Probeer maar eens, jongen. Ik heb de tijd... Misschien lucht het je ook wat op.' De pastoor knikt hem uitnodigend toe.
'Ja,' gaat Gijs verder. 'Toen ik terug was kende ik soms mezelf niet. Overmatig drinken deed ik voordien nooit. Ruziemaken nauwelijks.' De pastoor knikt volmondig, dat is zo.
'Maar iets is in me geslopen, dat sterker is dan wat ik wil... Nee, ik moet zeggen misschien iets... wat mijn eerdere gevoelens van vroeger doet afsluiten. Agressief zijn en veel drinken en jaloersheid kende ik voordien nooit.' Weer knikt de pastoor begrijpend.
'Ik heb me laten leiden door die zieke gevoelens. Natuurlijk, ik deed het zelf, laat dat duidelijk zijn... Maar die agressie tegen die Engelsman bijvoorbeeld was een combinatie van drank en jaloezie en niet meer redelijk kunnen denken. Maar, meneer pastoor...' en nu grijpt Gijs de handen van de herder, 'ik heb hem echt niet gedood! Geloof me, ík niet! Wie dan wel, weet ik niet. Ik gaf hem van achteren heel laf een slag op zijn hoofd. Hij zakte toen in elkaar, ik schrok er zelf van. Ik voelde zijn pols en was opgelucht toen hij ademde, dus hij leefde. Hij bloedde nergens, en ik ben toen weggehold als een bezetene. Maar wat die MP zeiden, dat de man bont en blauw was, de schedel ingeslagen en vol bloed zat toen ze hem vonden, dat

heb ik niet gedaan. Ik weet dat alle schijn tegen me is, ik heb hem openlijk genoeg bedreigd, maar geloof me, meneer pastoor, ik heb hem niet gedood, ik zweer het voor u en voor God, als het moet.'
Dan laat hij de pastoor los en zakt hulpeloos ineen op zijn stoel. De geestelijk verzorger moet de bekentenis even laten bezinken, dan herneemt hij zich.
'Gijs, als het waar is wat je mij zojuist vertelde, dan ben ik er allereerst blij om dat je geen moord hebt begaan. Wie dan wel, is zaak van de politie, maar ik geloof in je woorden, in je bekentenis. Ik hoop dat de rechter dat ook doet. Op mishandeling staat een veel lichtere straf dan op doodslag. Ik hoop voor jou dat degene die Bruce doodde, gepakt wordt. Allereerst, omdat zo'n gruwelijke daad niet ongestraft kan blijven, ten tweede omdat het jouw straf aanmerkelijk lichter zal doen zijn en ook je geweten zal ontlasten. Tussen iemand mishandelen of doden zit een groot verschil, Gijs.' Deze knikt.
Een klop op de deur maakt duidelijk dat de bezoektijd erop zit. Beiden staan op. 'Ik kom nog eens terug, Gijs, ik ben blij dat je me zo openlijk alles verteld hebt. Ik zal het bij je thuis ook zeggen, het zal de pijn daar verzachten. Hou je taai, jongen.'
'Eén ding nog, meneer pastoor. Als u Fleur ziet, zeg dan dat het me spijt, ze verdient dit niet. En fijn dat u de moeite nam me aan te horen en te geloven in mijn lezing. Doe ze de groeten thuis van me. Ik hou van ze, ondanks alles.'
'Fijn dat te horen, knul, veel sterkte!'
Als de pastoor even later buiten de gevangenis staat, denkt hij: Gijs zei de waarheid, ik zag het aan zijn ogen. Maar wie, o wie kan Bruce dan toch gedood hebben?
Daar komt die middag de oude pastoor niet uit.

Het oude echtpaar De Wijs is dolgelukkig met de komst van Fleur. Tot ze de ware reden horen van haar vertrek van Heidelust.
Och, ze huilen nog harder dan zijzelf, als ze over de begrafenis in Overloon vertelt. Ze zijn er enkele uren kapot van, schudden ongelovig hun hoofden en vragen zich verbijsterd af, hoe

zoiets mogelijk is. Ja, sneuvelen op het slagveld... maar dit?
De dokter is zojuist weggegaan. Ze heeft hem bedankt, maar hij wilde van geen dank weten. Als het nodig is, kent ze zijn telefoonnummer en in haar dorp heeft hij een telefooncel gezien.
Als tegen de avond de emoties wat gezakt zijn, worden er herinneringen opgehaald aan de onderduikperiode op Heidelust. Voor Fleur is het ook een aangename manier om op andere gedachten te komen. Ze vertelt de oudjes dat ze weliswaar wat spaargeld heeft, maar dat ze morgen in het dorp toch maar eens gaat informeren of ze ergens een werkhuis kan vinden voor een aantal ochtenden of middagen.
Maar de oudjes zeggen haar dat dat niet nodig is. Zij hebben geld op de bank, ze bezaten voor ze uit Amsterdam vluchtten zelfs een bankgebouw. Goed, de laatste jaren voor hun vlucht heeft de zoon de leiding gehad, maar de oude De Wijs was er elke dag toch even geweest. Hij zal morgen eens informeren. Alleen is Amsterdam nog niet bevrijd en de bank wellicht in Duitse handen. Hij zal wel zien.
Die avond wordt het opkamertje weer Fleurs vertrek. De oudjes blijven in de bedstee voor twee personen. Eenmaal op bed komen die heerlijke momenten met Bruce weer boven, waar destijds Harm met zijn hond abrupt een einde aan had gemaakt. Helaas... zucht ze nu. Wat had ze nu graag een kind van Bruce gedragen. Hij zou in hem of haar voortgeleefd hebben.
Maar hoe zei moeder dat vroeger ook alweer? O ja: Och kind, de dingen lopen toch zoals ze lopen moeten, daar verander je niet veel aan. Dat biedt nu echter weinig troost.

Op Heidelust lijkt de rust weergekeerd. De soldaten hebben geen zin meer om naar de herberg te gaan. Het gebeuren met Bruce en zijn begrafenis staan nog te vers in hun geheugen. Ze zoeken vroeg hun veldbed op, lezen en roken wat, een enkel groepje kaart nog. De onderofficier is naar de hoeve om iets te bespreken. De kok is door zijn vlees heen en misschien kunnen ze die laatste dagen wat van de boer kopen.

Mike, de onderofficier, begrijpt bij binnenkomst dat de boer er niet is. Ook merkt hij dat de vrouw hem niet al te best verstaat. Maar de vraag of hij een kop koffie wenst, begrijpt hij wel. Mike is wat ouder dan Bruce, ziet de boerin. Hij heeft ook donker haar, en nu ze hem zo van dichtbij ziet, ziet ze dat hij donkerbruine ogen heeft, die vriendelijk naar haar kijken.
Ze schenkt voor zichzelf en hem een beker koffie in, zet melk en suiker erbij, maar hij drinkt het zwart, net als Bruce deed.
Het gesprek wil niet erg vlotten, en soms probeert Mike met handen en voeten haar iets duidelijk te maken. Zo steekt hij met zijn ene hand drie, met de andere vijf vingers op, terwijl hij zegt dat hij 'thirty-five years old' was.
Het leidt zelfs tot enige hilariteit als de boerin denkt dat het drieënvijftig in plaats van vijfendertig is. Ze schatert om haar eigen stommiteit, legt haar hand op de zijne en proest uit: 'Sorry, Mike,' als op dat moment de keukendeur opengaat en Dirk in de opening staat. Ze ziet hoe zijn ogen flikkeren van drift.
'Onze knecht Dirk,' hakkelt ze en laat snel zijn hand los. Mike staat op, steekt zijn hand uit en zegt: '*Hello Dirk.*' Maar deze bromt slechts wat, en pakt de uitgestoken hand niet. Mike beseft dat hij verder niet gewenst is en met een '*good night*' verdwijnt hij uit de keuken.
Nauwelijks is de deur dicht of Dirk valt uit: 'Wat moest jij te flikflooien met die Engelsman? Nou, zeg op!'
'Nou,' zegt de boerin verdedigend, 'niks eigenlijk.'
Maar dat zint Dirk niet. Hij komt op haar toe, grijpt haar ruw vast en sist: 'Nou, zeg op!'
'Ik verstond hem alleen verkeerd, in plaats van drieënvijftig was hij vijfendertig, er daar moesten we om lachen, dat was alles,' zegt de boerin.
'Jaja, en waarom zat jij dan aan hem?' Dirk kijkt de boerin loerend aan.
'Ik...' doet de boerin verontwaardigd, ze beseft nauwelijks waar de ander op doelt. Maar die is nog steeds niet tevreden. Hij pakt haar zó hard vast dat het haar pijn doet. Ze zegt dan ook: 'Au! Laat me los, je doet me pijn!'

'Ja, hè, hij mag wel aan je zitten, ik opeens niet meer zeker. Maar ik waarschuw je,' en nu steekt Dirk een dreigende vinger naar haar op, terwijl zijn andere hand haar nog stevig vasthoudt. 'Ik vermoord hem als hij aan je komt, net zo goed als die ander.'
'Wat?' schreeuwt de boerin. 'Wat heb jij...'
Dan beseft Dirk dat hij zich versproken heeft. Hij grijpt haar weer beet en met zijn bloeddorstige ogen vlak voor de hare briest hij: 'Als je één woord ooit hierover spreekt, weet ik je te vinden, vroeg of laat, is dat duidelijk?'
Ze knikt, hij heeft haar nu in zijn macht. Maar als hij haar op zijn knieën trekt, is ze toch zo flink om zich te weren. 'Je denkt toch niet dat ik nog iets met jou te maken wil hebben? Ik leg het niet aan met een moordenaar, dat nooit!'
Hij staat op. 'Je weet wat ik je gezegd heb en denk erom: ik ben ertoe in staat!'
Dan draait hij zich bruusk om en verlaat de keuken. Hij gooit de deur met een knal achter zich dicht.
Ze zakt neer op haar stoel. Ze slaat haar beide handen voor haar gezicht en huilt bittere tranen. Na wat gekalmeerd te zijn en haar tranen gedroogd te hebben, neemt ze zich voor dat het zó met Dirk op de boerderij onmogelijk verder kan. Er moet iets gebeuren, maar wat?
Haar man waarschuwen? Maar dan zou ook haar affaire aan het licht komen, als hij Dirk zou aangeven of ontslaan.
Ze piekert zich suf. Dan opeens... Ja, misschien is dat een oplossing. De pastoor.
Ze kan hem in een biecht alles vertellen, ook haar zonden. Hij heeft zwijgplicht, dus hij zal moeten zwijgen over haar. Maar misschien kan hij de naam van Dirk noemen als de politie of de rechter daarop aandringt.
Natuurlijk, dat is een mogelijkheid!
Zelf kan ze zo wellicht buiten schot blijven, en als Dirk gearresteerd en veroordeeld wordt, is ze van alle narigheid af. Fleur weg, Dirk weg.
Opgelucht en met een minzaam lachje om haar mooie lippen, doet ze het licht uit en begeeft ze zich naar haar slaapkamer.

In haar dromen ziet ze Dirk achter de tralies en vieren zij op Heidelust een groot feest, want het is bevrijding en... haar zoon Bart is terug, gezond en wel!

Met verbazing bemerkt de boer bij het opstaan dat zijn vrouw al uit bed is. Ze is zelfs al aangekleed, want haar spullen hangen niet meer over de stoel in de slaapkamer.
Nog verbaasder is hij, als hij haar beneden ook niet ziet. Daarom vraagt hij aan Bets of zij misschien weet waar de vrouwe uithangt.
Bets knikt. 'Ja baas, de boerin wilde naar de vroegmis. Ze is met de fiets vertrokken toen ik hier net aankwam.'
'De vroegmis? Hoe komt ze dáár nu bij?'
Bets haalt haar schouders op, hoe moet zij dat nu weten?
'Afijn, we zullen haar straks wel weer terugzien,' bromt de boer in zichzelf.
Maar dat duurt toch nog een poosje. De boerin woont allereerst de vroegmis van halfacht bij. De pastoor verbaast zich al op het altaar, als hij haar door de week in zijn godshuis aantreft. 's Zondags ziet hij haar geregeld, maar door de week toch hoogst zelden.
Nog verbaasder is hij als zij na de mis in de buurt van de biechtstoel is gaan zitten en ogenschijnlijk op hem wacht. Hij loopt naar haar toe. Er is verder niemand meer in de kerk.
'Ge wilt misschien biechten?' vraagt de pastoor voorzichtig.
De boerin knikt met hoogrode kleur. De pastoor opent zijn deurtje van de biechtstoel, hangt een stola om en neemt plaats. Ondertussen is de boerin opzij achter een dik gordijn neergeknield voor het schuifje. De priester opent dit en begint met de zegen. Dan zegt hij: 'Ik luister.'
Aan de andere kant blijft het even stil. Dan hoort hij haar haperend zeggen: 'Meneer pastoor, ik ben... ik bedoel... ik heb eigenlijk twee doodzonden te biechten.'
De pastoor denkt eerst: dat zal wel meevallen. Maar dan biecht de boerin op: 'Al jarenlang bedrieg ik mijn man met onze ongehuwde knecht Dirk Baars. Meneer pastoor, ik weet dat het geen gegronde reden is, maar in bed kom ik bij mijn man

tekort en ik zocht bij hem, die iemand van mijn leeftijd is, datgene wat mijn eigen man mij niet geven kan of wil.'
De pastoor hoort aan de diepe zucht van de vrouw dat ze blij is met haar bekentenis. Maar ze gaat verder: 'Maar gisteravond, toen ik even met de onderofficier in de keuken wat overlegde, kwam Dirk binnen en ik zag al aan zijn gezicht dat het hem niet zinde, die Engelsman en ik samen in de keuken. Nauwelijks was de onderofficier weg of hij pakte me vast en dreigde die ander ook dood te slaan, net als Bruce, als hij mij nog eens met hem zag, terwijl er nu helemaal niets gebeurd was.'
De pastoor vraagt geschrokken: 'Weet u zeker dat hij dat zei? Dat hij hem dood zou slaan, net als Bruce?' De boerin beaamt het nogmaals.
'Maar kind, laat ik eerst duidelijk zijn over het eerste. Hebt u spijt van uw vreemdgaan en – nog belangrijker – stopt u er nu mee?'
'Zeker, meneer pastoor, daarvoor kom ik nu biechten en ik heb het hem ook gisteravond meteen duidelijk gemaakt, toen hij mij op zijn schoot trok. Dirk, heb ik gezegd, dat nooit meer en zeker niet met een moordenaar. Hij bedreigde me nogmaals, als ik er iemand ook maar dát van zou zeggen, maar hierover kan en wil ik niet zwijgen, meneer pastoor.'
'Dat is juist, kind. Welnu, de zonden over het vreemdgaan, mits u het werkelijk meent wat u zegt, zijn u vergeven. Wat betreft het tweede... Wat wilt u dat ik daarmee doe?'
'Ja, dat... dat weet ik niet, dat laat ik aan u over. Maar ik vind het onterecht dat alleen een ander alle schuld krijgt.'
De pastoor knikt, wat de vrouwe echter niet kan zien. Hij denkt aan de woorden van Gijs Loonen: 'Ik heb hem niet gedood, meneer pastoor.'
'Tja,' en nu zucht de priester. 'Ge hebt gelijk, het kan niet zo zijn dat Gijs alleen alle schuld krijgt. Misschien dat ik de burgervader erover inlicht.'
'Maar, meneer pastoor,' klinkt het nu zenuwachtig van de andere kant, 'u vertelt toch niet dat ík het gezegd heb, want dan slaat hij me dood, heeft hij mij gezegd.'

'Nee, kind, niemand, ik zeg het zelfs de rechter niet, als die het vraagt. Ik heb een biechtgeheim en dit neem ik mee in mijn graf, tenzij u ooit mij toestemming geeft om het openbaar te maken.'
'Nee, meneer pastoor, laat het eerste en het laatste tussen ons blijven, alstublieft.'
'Akkoord. Ge hebt juist gehandeld, en als penitentie bidt gij een rozenhoedje, als ge wilt in de kerk, anders vanavond thuis.' En dan zegent de oude herder de boerin. Hij scheldt haar haar zonden kwijt en verlaat daarna de biechtstoel en de kerk.
De boerin, die kilo's lichter is voor haar gevoel, knielt neer voor het Maria-altaar en begint aan haar penitentie. Ze wil nu ook gelijk schoon schip maken. Na tien minuten steekt ze nog enkele kaarsen aan, gooit een rijksdaalder in het offerblok en fietst veel lichter dan een uur geleden terug naar de hoeve.
Onderweg bedenkt ze, wat ze straks aan haar man moet vertellen. Ja, dat zal ze doen: Ze is naar de vroegmis geweest, heeft na de mis gebeden en kaarsen bij Maria aangestoken, om een spoedige terugkeer van hun zoon Bart te vragen. Dat schept geen argwaan.
De boer kijkt wel wat vreemd op, maar kan het wel begrijpen. Als hij wist dat het hielp, ging hij morgenochtend ook.
En dan volgen de gebeurtenissen elkaar snel op. De pastoor stapt diezelfde morgen nog naar burgemeester Boumans en doet daar alles uit de doeken. Hij vertelt over zijn bezoek aan Gijs, en verhaalt over een biechteling.
'Overbodige vraag misschien,' vraagt de burgemeester, 'maar wie vertelde u dat?'
'Het is precies zoals gij al aanhaalt, overbodige vraag, burgemeester, als gevolg van mijn biechtgeheim.'
'Maar u vindt het geloofwaardig en jaloezie zou de oorzaak zijn?'
'Precies, Boumans, en doe ermee wat ge moet doen.'
Dat doet de bestuurder en eer de torenklok twaalf slagen gegeven heeft, is veldwachter Vogels met versterking op het erf van Heidelust geweest en wordt Dirk Baars, de knecht, onder de

verbaasde ogen van iedereen aldaar, geboeid afgevoerd. De reden: doodslag van Bruce Mason.
Iedereen is verwonderd. De vrouwe niet en zij is zo slim om zijn arrestatie vanachter het glasgordijn in haar slaapkamer te bekijken. Maar goed ook, want nu ziet ze de bloeddorstige flikkering in de ogen van haar arbeider niet. Want daar straalt weinig goeds uit.

Het dorp gonst nu van de geruchten. Het lijkt wel alsof de kerkklokken het vanaf de toren uitgeschald hebben over het hele dorp. In een mum van tijd weet men tot in de uithoeken dat Dirk, de arbeider op Heidelust, opgepakt is voor doodslag van die Engelsman, Bruce Mason. Gijs van de bakker heeft hem blijkbaar wel mishandeld, maar niet gedood, dat heeft die arbeider nadien gedaan uit wraak.
En als een aantal weken later het proces in de stad plaatsvindt, is Fleur al bij Gijs Loonen in de gevangenis geweest en vertelt ze hem wat de grijpgrage handen van Dirk nog meer gedaan hebben.
Als Gijs haar vraagt hem zijn daad te vergeven, antwoordt Fleur: ‘Kijk, Gijs, ik ben ook christen, en ik zou een slechte zijn als ik het jou niet zou vergeven, maar vergeten zal ik het nooit.’
Hij pakt haar beide handen over de tafel en zegt snikkend: ‘Maar Fleur, wat maak je me hiermee gelukkig. Ik wilde wel dat ik het kon terugdraaien. Dat gaat helaas niet, maar als ik later vrij ben, hoop ik dat je me gewoon gedag zegt als je me tegenkomt.’ Dat belooft ze. Nu ze zijn lezing gehoord heeft en weet dat hun arbeider opgepakt is voor moord, is dat voor haar een stuk makkelijker. Als je iemand mishandelt ben je nog geen moordenaar, gaat het door haar heen. Daarop geeft ze Gijs een hand, wenst hem zelfs sterkte en voegt eraan toe: ‘Ik hoop oprecht dat je ervan geleerd hebt en óók, dat je straf licht zal uitvallen.’
En met een blij gemoed gaat ze naar huis. Deze jongeman verdient beter. Voor die ander heeft zij duidelijk minder begrip, maar dat ligt meer aan hem dan aan haar, vindt ze.
De uitspraak van de rechtbank luidt: Gijs Loonen wordt voor

de mishandeling van Bruce Mason gestraft met gevangenisstraf voor de tijd van twee jaar, met aftrek van voorarrest. Voor Dirk Baars luidt het vonnis: Acht jaar opsluiting in de gevangenis, voor doodslag op Bruce Mason.
De meningen in het dorp zijn verdeeld. De een vindt het te veel, zeker voor Baars, de ander te weinig. Bij die laatsten behoort vrouw Wolters.

Bruce' makkers horen het vonnis pas veel later. Zij zijn al lang vertrokken van de boerderij om andere delen in Nederland, die nog bezet zijn door de Duitsers, te bevrijden. De slag concentreert zich om Nijmegen en Arnhem en vervelend is, dat de winterse omstandigheden strenger worden. Daardoor is ook de hongersnood groter. Steeds meer mensen doen de boerderij van Wolters aan. En waar het anders Fleur was die gul hielp, is het nu de boerin die – verlost van haar zwaar gemoed – op deze wijze boete wenst te doen voor haar tekortkomingen. Stilletjes hoopt ze zo later aan de hemelpoort de balans van haar leven te laten doorslaan naar de goede kant. Hoe het ook zij, vele hulpeloze stakkers varen er wel bij in deze erbarmelijke winter. Op Heidelust krijgen ze nog een stuk vlees, worst of spek of vet en zo blijft men in het zuiden gespaard voor het eten van bloembollen, zoals boven de grote rivieren gebeurt om de honger te stillen.
En al wordt in eerste instantie de slag om Arnhem verloren en was het nèt een brug te ver, toch trekken weken later de geallieerden wel door die stad en rukken ze verder op naar Duitsland. De Russen doen dat vanuit het oosten. En dan gaat het hard, ook in Noord-Nederland. Op 4 mei aanvaardt veldmaarschalk Montgomery de overgave van de Duitse troepen in Noordwest-Europa.
Op 5 mei 1945 gaat om acht uur 's morgens de capitulatie in. Nederland is bevrijd!
Klokgelui maakt in elk dorp, elke stad, melding van dit heuglijke feit. Mensen hangen de driekleur uit, rennen de straat op, vallen elkaar om de hals, ook in het dorp. Daar waar de bevrijders door de straten rijden met auto's, tanks en vrachtauto's,

worden ze verwelkomd met bloemen, kussen en geschreeuw.
Overal in Nederland is die avond feest. Ook op Heidelust, maar ook in het huisje van Fleur. Twee Joodse oudjes zijn de dans ontsprongen en kunnen samen met hun verzorgster hun geluk niet op.
Het wordt laat, op sommige plaatsen heel laat, maar dat mag ook wel na zoveel bittere jaren van onderdrukking.

HOOFDSTUK 19

De euforie is groot. Wat wil je ook na bijna vijf jaar onderdrukking. Men viert overal feest.
Bevrijdingsoptochten worden georganiseerd en als een soort carnavalsoptocht rijden versierde paard-en-wagens, met daarop groot en klein gekleed in oranje of de kleuren rood-wit-blauw, door de straten. Er is muziek bij om de feestvreugde te verhogen. Er zijn dansavonden, waar ook de bevrijders aan deelnemen. Zíj vooral, want zíj hebben ervoor gezorgd dat men in Nederland de vrijheid terugkreeg, en verlost is van het juk van de agressor.
Er waren tijdens de bezettingstijd altijd wel meisjes en vrouwen te vinden die zich lieten verleiden door de bezetter. Nu zijn er talloze meisjes en vrouwen die zich inlaten met de bevrijders. Er is één groot verschil: Na de oorlog werden de 'moffengrieten' kaalgeschoren en uitgejouwd om hun daden, maar als maanden na de bevrijding de eerste jonge vrouwen rondlopen met een dikke buik omdat ze een kind verwachten van een Amerikaan, Brit of Canadees, is er geen commentaar. Zelfs wordt er een lied gemaakt, waarin Hollands welvaren Trees vrijt met een Canadees.
En als de feestvreugde geluwd is, komt de werkelijkheid van alledag weer om de hoek kijken. Veel, heel veel is er stukgeschoten. Kerken, gebouwen, huizen, boerderijen, arbeiderswoningen. Het zal een lange tijd vergen voor men de zaken in het land weer op orde heeft. Maar er is één groot goed: de saamhorigheid. Iedereen helpt iedereen, want allen zitten in hetzelfde schuitje. En plaatsen waar men er redelijk goed van af is gekomen, bieden geld en goederen aan aan hen die huis en haard verloren hebben, door bombardementen of evacuatie.
Zo worden in het dorp Overloon in snel tempo kleine, witte arbeiderswoningen gebouwd, waar men erg gelukkig mee is.
Maar nu is sneller dan ooit ook duidelijk welke personages goed garen gesponnen hebben bij de oorlog. Vooral een aantal boeren kan het ineens wonderbaarlijk goed doen. De vraag rijst dan: hoe komen ze ineens aan het goud en het vele geld? Maar

boer Wolters kan zijn handen in onschuld wassen. Hij is er door de oorlog beslist niet rijker op geworden, integendeel. Maar hij maalt er niet om. Hij heeft onze bevrijders onderdak en zelfs méér geboden. Hij heeft de nood der hongeren gelenigd, daar waar mogelijk was. En zijn verdienste wordt beloond. Niet met goud en harde guldens in het kabinet, nee. Maar een week na de bevrijding staat plotseling zoon Bart gezond en wel op het erf van hun hoeve.
Mats is de eerste die tegen hem aanloopt. Hij ziet geen ingevallen gezicht, geen totaal andere Bart, zoals Gijs Loonen was toen hij terugkwam. Nee, het is dezelfde rustige, ietwat ouder geworden jongeman. En terwijl Bart de ander begroet, gaat Hector als een waanzinnige tekeer. Hij herkent meteen zijn eigen volkje en de hond is niet eerder stil voor hij de hand van zijn baas voelt over zijn ruige kop.
Bets, die door het blaffen geattendeerd is op volk, staat perplex in de deuropening. 'Bart!' gilt ze het dan uit en ze rent op hem toe, begroet hem hartelijk. Dan ziet Bart zijn vader en beiden vallen elkaar in de armen. Wolters ziet direct dat zijn zoon het er goed heeft afgebracht. 'Kom gauw naar moeder, Bart,' zegt hij ontroerd.
Die staat als aan de grond genageld. Ze kijkt alsof ze een der wereldwonderen aanschouwt en pas als Bart op haar toe loopt, ontwaakt ze uit haar droom en vallen beiden elkaar om de hals. De tranen van zijn moeder maken de kraag van zijn jas doornat, maar Bart maalt daar niet om.
En dan moet hij vertellen. Maar Bart is niet zo'n prater en hij is gauw uitverteld. Ja, hij heeft eerst zoals duizenden anderen in een kamp gezeten. Daarna ging hij werken in de fabriek, eerst dichtbij, later steeds verder weg in Oost-Duitsland. Totdat er boerenwerk op boerderijen verricht moest worden. Want granen en aardappelen waren hard nodig. En dus werd hij op een boerderij geplaatst en deed hij het werk dat hij anders thuis gedaan had. Dat had voordelen: goed eten en drinken en een bed boven de warme koestal. Geboft heeft hij, ja, gruwelijk geboft, als hij het verhaal van Gijs Loonen hoort.
De boerin gelooft haar ogen nog steeds niet. Ze voelt af en toe

aan zijn arm of hij er werkelijk zit. Bart is gezond en wel terug! Ze besluit morgen weer de vroegmis te bezoeken, maar nu uit dankbaarheid voor de terugkeer van hun verloren zoon.
Maar de volgende morgen stappen er twee mensen op de fiets, op weg naar de vroegmis. Beide ouders danken God voor het feit dat ze de oorlog zo goed zijn doorgekomen, en dat ze hun zoon gezond en wel weer thuis hebben. Het offerblok na de mis is zelden zo goed bedacht als deze morgen.

Het zit Fleur ook mee. Bij haar zoektocht naar werk attendeert de meester haar erop dat de dokter een assistente nodig heeft, en aangezien ze alvast wat van EHBO af weet, is dat wellicht een pré. Dat blijkt zo te zijn, want dokter Heg is blij met haar. Elke morgen van acht tot twaalf, zes dagen in de week, staat ze de arts bij. Ze verzorgt de kleinere gevallen als de dokter er niet is en deelt de medicijnen uit. Daarbij is ze niet te beroerd om voor oudere patiënten even om te rijden als ze om twaalf uur naar huis fietst. Ze reikt hun graag de medicijnen aan. Men staat veel meer dan vóór de oorlog voor elkaar klaar. Het voordeel is dat, op enkelen na, iedereen evenveel – of even weinig – bezit, en dat men wat men heeft, graag deelt of even uitleent. Omgekeerd kan men dat bij de ander ook. En die saamhorigheid is wellicht de basis dat Nederland er redelijk snel bovenop komt.

Op een middag heeft Fleur het echtpaar De Wijs weggebracht naar de stad. Ze hebben gehoord dat de bank en hun woning daarboven vrij ongeschonden uit de strijd zijn gekomen, en dat ze er zó weer in kunnen trekken.
En hoewel zij door de goede verzorging het nergens beter hadden kunnen hebben dan bij Fleur in haar huisje, trekt natuurlijk de eigen woning, de eigen straat, de eigen buurt weer, na zo'n lange tijd.
Dus helpt Fleur hen de bagage in het net van de treincoupé leggen en geeft dan beide mensen twee dikke zoenen op hun betraande wangen. De mensjes zijn ontdaan dat ze deze hartelijke vrouw, die vier jaar lang hen in moeilijke omstandigheden

verzorgd heeft, moeten verlaten. En ze moet stellig beloven hen op te zoeken. De oude baas fluistert ontroerd in haar oor: 'Geld ervoor ligt onder de matras van de bedstee, Fleur. Je hebt dat dubbel en dwars verdiend.'
Dan haast Fleur zich met betraande ogen de trein uit. De deuren klappen dicht en de stationschef blaast op zijn fluit, steekt de groene kant van zijn 'pannenkoek' in de hoogte en dan zet de trein zich puffend en steunend in beweging. De Wijs heeft hun raampje omlaag gedraaid en steekt zijn magere, oude hand erdoor. Fleur loopt een paar pasjes mee, drukt de hand en laat dan los, omdat de trein meer vaart krijgt.
'Tot ziens!' roept ze nog. Ze zwaait, totdat een grote stoomwolk uit de locomotief haar alle zicht ontneemt. Daarmee is weer een hoofdstuk uit het oorlogsboek afgesloten, beseft Fleur.
Thuisgekomen is ze toch nieuwsgierig naar de vergoeding van het echtpaar. Ze ontdekt in een enveloppe tweehonderd gulden met een klein briefje, waarop beverig en in grote letters geschreven staat: 'Lieve Fleur, een kleine vergoeding, die in geen enkele verhouding staat tot wat jij voor ons gedaan hebt. Het is je van harte gegund. We blijven aan je denken, want je zit in ons hart. Het ga je goed en tot ziens. Manuel en Sara de Wijs.'
Ze zakt op een stoel aan tafel. Tweehonderd gulden! Met het loon van Heidelust en wat ze verdient bij de arts is ze rijk, beseft ze.
Is het de beloning voor het met liefde gedane werk? Och, ze had het zonder geld ook gedaan, weet ze. Maar toch...!

En zo verstrijkt de lente en komt de zomer van 1945. En het lijkt wel alsof ze daarboven goed willen maken wat de winter aan leed gegeven heeft. De zon schijnt elke dag haar gouden stralen over de huizen, boerderijen, weiden en akkers, bossen en heide. En de bedrijvigheid is groot. De wederopbouw is in volle gang, er is werk voldoende, er zijn alleen te weinig woningen, omdat er honderdduizenden vernield of beschadigd zijn.
Als Fleur op een middag thuiskomt, staat juist de postbode aan haar huisje. Een zeldzaamheid, dat hij zo ver de heide op moet.

Hij overhandigt haar een brief en maakt haar duidelijk dat deze eerst naar Heidelust, in een naburig dorp geweest is, maar dat ze hem daar doorgestuurd hebben naar hier. Een Engelse brief, orakelt hij verder, daarmee aangevend dat hij het exemplaar goed en zorgvuldig bekeken heeft.
Tja, de brief is aan haar geadresseerd: Fleur Vissers. Op de achterkant leest ze de afzender: Fam. M. Mason... Cambridge. Mason! schiet het door haar hoofd. Familie van Bruce, dat kan haast niet anders. Ze bedankt de postbode en schiet zenuwachtig haar huisje binnen. En laat daarmee een ontgoochelde postbode achter, die toch wel meer zou willen weten over die buitenlandse brief. Maar helaas...
Binnen scheurt Fleur met bevende handen de brief open en haar ogen vliegen over de regels. Maar een heleboel woorden kent ze niet. Wel enkele, maar niet genoeg om alles te begrijpen. Wat nu? Dokter Horbach in het andere dorp sprak Engels. Misschien haar dokter Heg ook wel. Of... ja, natuurlijk! De oude meester, hij sprak toch met die piloten?
Nog geen tien minuten later staat ze voor het huis van de onderwijzer. Hij doet zelf open en ziet Fleur staan met de brief in haar hand en een opgewonden gezicht.
'Meester,' valt ze met de deur in huis, 'ik heb een brief van de ouders van Bruce, maar ik kan er niet goed wijs uit worden, zou u hem willen voorlezen?'
'Natuurlijk,' zegt de oude man, goed beseffend dat Fleur in spanning zit. 'Ga zitten, dan zullen we eens kijken. Maar misschien staan er zaken in waar ik niks mee van doen dien te hebben, Fleur?'
Maar Fleur schudt haar hoofd. 'Nee meester, toe maar.' Zelf zit ze op het puntje van haar stoel en luistert gespannen naar wat de ander voorleest.
'*Dear Fleur*,' begint hij plagend, maar Fleur zegt meteen: 'Nee, in het Nederlands, bedoel ik.'
'O,' doet hij quasi-onwetend. Hij lacht even. Dan zet hij zijn bril goed op zijn neus en leest voor:

Beste Fleur,
Hoewel jij ons niet kunt kennen, hebben wij wél veel over jou gehoord. Na het vreselijke nieuws dat ons enig kind Bruce in jullie dorp is omgebracht, hebben we hier een zéér moeilijke tijd gehad en nog. Maar onlangs hebben kameraden van onze zoon hier verslag uitgebracht en alles over jou en onze zoon verteld. Dat jullie verliefd waren, jullie waren stapel op elkaar, zeiden ze. Dat jullie samen verder hadden gewild in Nederland of hier bij ons. Dat deed ons goed. We waren blij iemand te hebben gevonden die ons meer over onze zoon zou kunnen vertellen in die vreselijk tijd.

De meester stopt even, haalt diep adem, maar hij ziet aan Fleurs reactie en ogen dat ze wil dat hij verder leest. Ze zit haast naast de stoel in plaats van erop, dadelijk tuimelt ze er nog vanaf ook. Dan leest hij verder.

Nu hebben we een wens. Zou het mogelijk zijn dat we een paar dagen naar jou kunnen komen? Je mag dan een hotelletje of zo regelen, want we willen jou niet tot last zijn. Maar we willen wel vragen of jij misschien ons de boerderij en andere zaken kunt laten zien waar onze zoon geweest is. Graag zouden we ook het graf en Overloon bezoeken, waar zijn kameraden zoveel over verteld hebben. Vooral over hoe jij en de boer bij zijn afscheid waren. Zou je ons zo spoedig mogelijk kunnen terugschrijven of het een en ander mogelijk is? Het zou ons erg goeddoen, denken we.
In ieder geval alvast bedankt en veel liefs van de ouders van je geliefde Bruce.

Familie Mark en An Mason, Downstreet 112, Cambridge, Engeland.

De meester legt de brief op tafel. Hij is zelf ook wat geëmotioneerd.
Hij ziet een glunderend gezicht tegenover zich. Heel Fleurs gezicht straalt, ondanks de emoties. Haar blauwe ogen schit-

teren. Dan komt de te verwachten vraag: 'Zou u, meester... zou u hun voor mij willen terugschrijven?'
Hij kijkt haar lachend aan. 'Dat had ik al gedacht, en liefst zo snel mogelijk ook nog zeker?'
Fleur knikt.
'En wat moet ik dan schrijven?' vraagt de meester.
'Nou, dat ze bij mij in mijn huisje welkom zijn natuurlijk, wanneer ze maar willen. En als ze even berichten wanneer en hoe laat ze met de trein in de stad zijn, haal ik ze op. Ik neem wel wat daagjes vrij, hoor.'
'Ja maar...' tempert de meester haar opwinding. 'En hoe praat je dan met hen, met handen en voeten?'
'Nou, meester... Bruce zei dat zijn moeder van oorsprong een Nederlandse is, die zal toch nog wel wat Nederlands spreken?'
'Niet veel, meidje, ben ik bang, anders had ze wel in het Nederlands geschreven.'
Dat was waar, bedacht Fleur. 'U spreekt Engels. Kunt u me niet wat leren, of hebt u geen Engels leerboek voor me? Zo gauw zullen ze hier toch nog niet zijn, en ik kan elke middag en avond leren, hoor.'
De meester ziet in haar het leergierig meisje van vroeger terug. De verstandelijke vermogens daartoe heeft ze, weet hij.
'Nou goed, allereerst schrijf ik vanmiddag je brief, waarin je ze uitnodigt en zegt dat je ze afhaalt. Ze komen wellicht met de boot in Hoek van Holland aan en kunnen dan de trein nemen, tot Eindhoven. Daar zul je ze dan moeten ophalen, want met die bussen tegenwoordig naar hier is voor vreemden haast geen doen.' Fleur knikt.
'Heb je een foto van jezelf, want jij kent hen niet en zij jou niet,' bedenkt de meester dan.
Nee, een foto heeft ze niet. Dan klinkt het: 'Schrijf maar dat ik een witte anjer, het teken van ons verzet, in mijn knoopsgat draag, goed?' De meester knikt lachend. Die Fleur! Die heeft overal wel een oplossing voor.
Blij neemt ze afscheid van haar leermeester. Ze krijgt een boek mee: *Beginnend Engels*. De brief blijft daar, voor het adres. De

meester belooft dat hij het antwoord vanavond nog op de bus zal doen.
Opgelucht en met een blij gevoel trapt Fleur de weg naar de heide op.
Thuis wacht haar nog een verrassing. Ze zit nog maar net aan tafel de indrukken van deze middag te verwerken, of ze hoort een hond blaffen. Intuïtief voelt ze aan dat het maar één persoon kan zijn: Harm.
En inderdaad, door het hekje komt eerst Harm, en achter hem zijn jachthond. De begroeting is allerhartelijkst.
'Zullen we even buiten gaan zitten, Harm, hier op het bankje? Het is zulk mooi weer.'
Harm vindt het prima. Ergens is er iets met hem, denkt Fleur. Hij heeft zo'n verbeten trekje over zijn gezicht, en ook zijn ogen kijken niet vrolijk. Na wat over het mooie weer gezegd te hebben, zegt hij ineens: 'Ik kom je iets vertellen, Fleur.' Terwijl hij die woorden spreekt, breekt er eindelijk een lachje door.
'Ik ben benieuwd, buurjongen,' antwoordt Fleur nieuwsgierig. Wat zou Harm toch hebben? Hij doet zo geheimzinnig.
'Ik ga binnenkort trouwen.'
Fleurs mond blijft even openstaan van verbazing. Harm trouwen? En ze heeft van een meisje nooit gehoord of wat gezien. Als hij haar verbaasde blik ziet, gaat hij verder: 'Ja, wel snel, maar tegen jou wil ik niet liegen. Eigenlijk moeten we trouwen... Wiesje en ik.'
Ineens gaat Fleur een licht op. 'Wiesje van de smid... Ja Harm?' En haar ogen kijken hem verrukt aan.
'Precies, jij mag nooit meer raden.'
'Wat leuk voor je! En voor haar ook natuurlijk,' haast ze zich eraan toe te voegen. Ze kent Wiesje uit haar klas. Een kittig, mooi ding, met lang rood haar en donkere ogen. Best een mooie meid. Hoe ze er nu uit zal zien, daar heeft Fleur geen flauw idee van.
'En wanneer staat het te gebeuren, Harm?' vraagt Fleur door.
'Volgende week, want haar ouders zijn eigenlijk kwaad dat het een moetje is en willen dat we nu snel trouwen ook. En een woning hebben we, dus...'

'Nou, prima toch? Gefeliciteerd, joh!'
'Ja, dank je.' Harm is even stil, zegt dan: 'Maar ik heb nog niet alles verteld.'
Weer ziet Harm dat Fleur grote ogen opzet. 'Wat is er dan nog meer te vertellen?'
'Wiesje is niet zwanger van mij, als je dat zou denken...'
De ogen van Fleur kunnen niet nog groter worden, want anders vielen ze uit haar hoofd. 'Niet van jou, Harm?'
Harm schudt zijn krullen. 'Nee, van een Canadees, maar ja, de vogel is gevlogen en volgens naspeuringen al getrouwd daar.'
'Goh,' zegt Fleur en slaat een hand voor haar mond. 'En je trouwt haar toch? Mooi van je, hoor, Harm, erg mooi.'
Harm is opgelucht dat er tenminste iemand is die hem niet gelijk voor een stommerik uitmaakt, zoals velen uit het dorp.
'Ja. Ik hield altijd al van haar, maar ik durfde er nooit werk van te maken. Nu wel, en met dit resultaat.'
'Gefeliciteerd, hoor,' zegt Fleur weer en ze pakt hem beet en zoent hem op beide wangen. 'Dank je, en fideel van je dat je het zo opneemt, Fleur, dat doet niet iedereen.'
Nee, dat zal wel niet, denkt Fleur.
'Nou je zó reageert,' gaat Harm verder, 'durf ik je ook wel wat te vragen.'
Fleur kijkt hem weer nieuwsgierig aan. 'Jij zit vol verrassingen vandaag, hoor. Nou, kom maar op.'
'Zou je... zou je getuige willen zijn bij ons huwelijk, Fleur?' En nu ziet ze twee verwachtingsvolle kijkers op die van haar gericht.
'Tuurlijk, Harm!' roept Fleur verrast. 'O, wat leuk en fijn dat ik er één van mag zijn!'
Harm slaakt een diepe zucht, hij is blij verrast met haar antwoord. 'Ja,' bekent hij dan eerlijk. 'Een broer van mij is de andere. Van Wiesjes familie wilde niemand en toen dacht ik aan jou. Het wordt ook geen groot feest, hoor, maar ja, in gemeentehuis en kerk heb je toch getuigen nodig. Vandaar.'
Fleur heeft met hem te doen. Een trouwdag moet toch de mooiste dag van je leven zijn!
'Zeg maar wanneer, Harm, dan vraag ik gelijk vrij voor die dag.

Nou, ik verheug me erop, hoor, en je krijgt natuurlijk ook een mooi cadeau van me. Weet je al iets?'
'Ja maar, Fleur, daar is het niet om begonnen. Ik ben al blij als...' zegt Harm een beetje verlegen.
'Stil jij! Weet je iets, of zal ik alvast iets voor het kindje geven?'
Ja, dat lijkt Harm wel wat.
Als hij later met zijn hond vertrekt, is hij uitgelaten blij. Hij bedankt haar tot uit den treuren. En Fleur kijkt uit naar die dag, en is blij hem een dienst te kunnen bewijzen. Tja, die kant zit ook aan het verhaal van de bevrijders. Maar was ze haast zelf niet in die positie gekomen? Als Harm die bewuste middag eens niet verschenen was?
Het loopt zoals het loopt, hoort ze haar moeder fluisteren in haar bovenkamer.
Nou, dat was weer een opwindend dagje, bedenkt ze en ze gaat maar eens wat avondeten klaarmaken. Een dag is eigenlijk ook zo om als je zoveel meemaakt.

HOOFDSTUK 20

Hoewel de torenhaan blinkt in de zonnestralen en de leeuwerik hoger en hoger klimt en zijn riedels over het dorp uitstrooit, staan beneden niet alle gezichten zo opgewekt als men zou verwachten bij zo'n blije gebeurtenis.
Van Harms kant valt het wel mee, maar de ouders van Wiesje kijken allesbehalve vrolijk, en de rest van haar familie laat het helemaal afweten. Maar het bruidspaar zelf straalt gelukkig wel, bedenkt Fleur. In haar zondagse jurk is ze haast mooier gekleed dan het bruidje. Dat draagt een effen crème jurkje. Wit, de kleur van de maagdelijkheid, hadden haar ouders per se niet gewild. Maar omdat haar zwangerschap pas drie maanden gevorderd is, kan men er nauwelijks iets van zien. En wat dan nog, denkt Fleur.
De ouders en broers en zussen van Harm zijn er gelukkig wel, en zo lijkt het toch nog op een hele familie. De ambtenaar van de burgerlijke stand heeft weinig werk gemaakt van de speech, begrijpt ze en na korte tijd staat men weer buiten. Gelukkig zijn ze daardoor goed op tijd voor de kerkdienst. Dat is wel eens anders, denkt de pastoor, die hen afhaalt aan de kerkdeur en voorgaat in de dienst.
Nu is de kerkdienst ook wat sobertjes, maar de organist speelt af en toe een deuntje en dat maakt het toch anders.
Nadat Harm en Wiesje elkaar eeuwige trouw beloofd hebben en Fleur en de broer van Harm als getuigen daar ook een handtekening voor plaatsen, zoals op het gemeentehuis, feliciteert de pastoor het paar en wenst hun alle goeds toe.
In Harms ouderlijk huis heeft men een koffietafel klaarstaan. De spanning is in ieder geval gebroken. Nog vrolijker wordt het als de ouders van de bruid vertrekken, zogenaamd omdat de winkel en smederij niet de hele dag gesloten kunnen zijn.
Maar in huize Bartels zit men daar niet mee. De borrel komt op tafel. Fleur drinkt een wijntje mee. Er zijn wat cadeautjes, niet veel bijzonders, maar door iedereen goed bedoeld. Fleur heeft niets bij zich, maar zegt: 'Ja, Wiesje en Harm, mijn cadeau staat nog thuis. Dat was te groot om mee te nemen, maar als jullie

vanavond naar je eigen woning gaan, kom je maar aan en neem je het maar mee.'
Dat is afgesproken. Voor het tweede wijntje bedankt Fleur en daarna neemt ze afscheid van de familie Bartels. Daar zal het feestje nog wel een tijdje doorgaan.
Tot haar verrassing hoort ze na twee uren het stel het tuinpad opkomen. 'Zo? Nu al uitgefeest?'
'Och ja,' doet Harm schouderophalend. 'Dat het wat sobertjes zou gaan, wisten we van tevoren. Maar dat hindert ons niet, nietwaar, Wiesje?'
Zijn kersverse vrouw kijkt hem met dankbare ogen aan en trekt hem even tegen zich aan.
'Nou kijk,' en Fleur wijst op een groot pak dat in de kamer staat, 'daar staat jullie cadeau, pak het maar samen uit.'
Ze kijken elkaar aan. Zo'n groot cadeau voor hen?
'Toe maar,' nodigt Fleur. Dan knielen ze beiden op de grond en scheuren voorzichtig het papier, alsof er iets breekbaars in zit. Maar Wiesje heeft het 't eerste door.
'Een wiegje, Harm!' roept ze en ze slaat een hand voor haar mond. Ook Harm lijkt uit het veld geslagen.
'O, Fleur, wat mooi! Is dat voor ons kindje?'
Fleur knikt. Dan volgen de tranen bij Wiesje. Ze komt overeind en valt Fleur pardoes om de hals. Snikkend fluistert ze dankwoordjes in Fleurs oor. Ook Harm is aangedaan. Zo'n mooie wieg hadden ze nooit zelf kunnen kopen. Er is nu zoveel nodig. Hij kust haar op iedere wang en bedankt haar. Dan staren ze allebei naar hun nieuw verworven bezit. Wiesje leunt tegen Harm aan, ze kan er niet over uit.
'Wat mooi, Harm! Kijk toch eens, die roesjes erlangs, en dat dekentje met een beertje erop. Och, wat schattig toch.' En ze knielt nogmaals neer en betast de stof alsof het van goud is.
'Kun je het zelf meenemen of moet ik meelopen, Harm?' brengt Fleur hen weer in de realiteit terug. Nee, dat doen ze samen. En ieder aan één kant, de wieg tussen hen in, verlaten ze de gulle geefster, met veel dankbare woorden en uitgelaten gezichten.
Ziezo, denkt Fleur, weer twee gelukkige mensen.

Eigenlijk is geven toch véél leuker dan nemen of krijgen, peinst ze.

Nog geen drie weken later ligt er, als ze van het werk komt, een brief in de bus. Ze ziet het meteen. Van de Masons.
Snel scheurt ze hem weer open en tot haar verwondering is hij niet lang, maar wel in het Nederlands.

Lieve Fleur,

Ik ben als meisje in Nederland geboren en opgegroeid. Ik probeer het nu te schrijven met denk ik vele fouten. Ik spreek het nog wel. We bedachten pas na onze eerste brief dat je misschien geen Engels kende, hoewel je terugschreef in onze taal. Door iemand anders, denken we nu. Klopt dat? We willen graag komen. Met de boot, en dan de trein tot Eindhoven. We zijn daar op 30 August om 14.10.
We verheugen ons er op. Bedanken vast voor alles, wat je al deed voor ons.

Groetjes en tot gauw,
Mark and An Mason

Volgende week dinsdag al, bedenkt Fleur plotseling. Dan moet ze morgen snel vrij vragen aan de dokter, hij weet ervan en heeft in principe toegezegd.
Ze lacht als ze eraan denkt dat ze elke dag Engelse woordjes en kleine zinnetjes gerepeteerd heeft, terwijl die moeder goed Nederlands spreekt, het zelfs nog schrijft ook. Dat ze zelf die brief niet geschreven heeft, hadden ze toch doorgehad. Daar hadden zeker geen taalfouten in gestaan.
Ze kan bijna niet wachten tot de volgende week.
Maar zoals zo vaak, vliegen de dagen om, net als op een vakantie. En zo staat Fleur op een prachtige dag ruim voor tweeën op het perron van Eindhoven te wachten op de dingen die komen gaan. Eigenlijk is ze best wel nerveus, want wat weet ze nou van die mensen af? Ja, Bruce was hun zoon. Maar dan hoeven

zijn ouders nog niet net zo aardig te zijn.
Eindelijk komt piepend en puffend de trein tot stilstand. Ze moet twee personen zoeken met bagage, allicht. Maar er komt aardig wat volk uit de trein. Ze voelt nog eens aan de anjer die ze op haar jurk gespeld heeft. Niemand draagt er een, dus...
Ja hoor, een vrouw zwaait naar haar, die heeft zeker de bloem ontdekt. Ze haast zich naar hen toe. Het valt Fleur op dat de twee helemaal niet zó oud zijn.
De vrouw zet haar bagage neer en komt met uitgestoken armen op Fleur toe. 'Ooh Fleur... *my dear*, wat jij bent mooi,' lacht ze en ze houdt Fleur op armlengte van zich af.
'*May I*?' zegt de man naast haar. En als zijn echtgenote Fleur loslaat, geeft hij haar op beide wangen een zoen en zegt daarbij zijn naam. Fleur neemt de koffer van de vrouw, die dat eerst niet wil. Dan lopen ze gedrieën het perron af naar de taxi die Fleur besteld heeft.
Ze laat de ouders achterin plaatsnemen en neemt daarna zelf naast de chauffeur plaats. Maar ze zit al spoedig met het gezicht naar hen gekeerd om te vertellen.
Het is grappig de vrouw Nederlands te horen spreken met een Engels accent. Bovendien vertaalt ze alles wat gezegd wordt van en naar Fleur en haar man. Mason zegt wel wat te kunnen begrijpen, maar alleen 'goedendag' en 'goedenacht' te kunnen uitspreken in het Nederlands. Maar via zijn vrouw verloopt de conversatie zó vlot, dat Fleur pas opmerkt dat ze haast thuis zijn als ze het zandpad in rijden. Gauw maakt ze hun duidelijk dat ze wat achteraf, in een klein huisje woont.
'Bruce noemde het: Een Hans-en-Grietje-huisje, want dat zei zijn moeder altijd,' zegt Fleur. De vrouw schiet in de lach. 'Ja Fleur, dat zei ik met een verhaaltje lezen... voorlezen is het, geloof ik.'
Als Fleur met de chauffeur wil afrekenen, zegt Mason dat te willen doen, maar daar komt niets van in. Fleur betaalt. '*Another time*,' zegt ze. '*Okay*,' is zijn antwoord.
Als ze het huisje van buiten bekeken hebben en men elkaar lachend dingen aanwijst, is de vrouw verrukt over de bedstee binnen. 'Die had mijn *grandmother* ook.'

En nog blijer is ze als ze hoort dat het hun bed wordt. '*And you?*' wil de man weten. Ze laat hun haar opkamertje zien. '*Beautiful,*' zegt Mason. 'Mooi, Fleur,' zegt zijn vrouw.
Onder het genot van een kopje thee zitten ze even later op de bank met een tafeltje erbij, buiten in de zon.
En algauw – hoe kan het ook anders – gaat het gesprek over hun zoon. Over hun dromen eens een schoondochter en wellicht kleinkinderen te hebben. Nu hebben ze enkel elkaar. En als vooral de vrouw haar tranen niet kan bedwingen, lukt dat Fleur evenmin. Maar niemand schaamt zich ervoor.
's Avonds in bed kan Fleur niet in slaap komen. Wat zijn het vriendelijke, open mensen! Eigenlijk zoals Bruce, ze voelt zich thuis bij hen. Het lijkt wel alsof ze elkaar al veel langer kennen. Dat gevoel spreekt de vrouw ook uit tegen haar man. Die antwoordt met: '*It could be our daughter.*' En daar is zijn echtgenote het helemaal mee eens.
De band tussen hen wordt hechter en hechter, mede door alles wat er gebeurt.
De volgende dag staat boerderij Heidelust op het programma. Dat is niet zo ver en kunnen ze in een middag doen. De enige taxi in het dorp rekent niet zoveel, en bovendien staat Mark Mason erop dat hij dit keer betaalt. Hij heeft niet voor niets hun ponden gewisseld tegen Nederlands geld.
Fleur heeft de boer gebeld in het dorp en men verwacht de gasten dus na het middageten. De boer is de eerste – uiteraard op Hector na – die hen begroet. Fleur dient eerst de hond te begroeten, anders is hij niet stil te krijgen. Dan geeft ze de boer een hand en stelt het echtpaar voor.
'Precies Bruce, alleen wat ouder,' zegt de boer over Mason, en de man knikt als zijn vrouw het vertaalt.
Dan komt zoon Bart aan die zowaar wat Engels spreekt. De boerin doet het op z'n Nederlands, wat An Mason goed verstaat. Binnen begroet Bets vooral Fleur hartelijk. De koffie staat klaar en als Fleur vertelt dat de Masons veel thee drinken, wordt er ondanks protesten van An thee gezet. Kokend water staat altijd op het fornuis.
Na het tweede kopje moet de boerderij bezichtigd worden,

door zowel An als Mark. Fleur mag hen bij hun voornaam noemen, hebben ze uitdrukkelijk gewild deze morgen.
Als ze in de schuur komen, moet Fleur uitleggen hoe de soldaten er geslapen hebben, waar ze zich wasten en aten. Vooral Mark kijkt rond alsof hij zijn zoon elk moment van de hooizolder of door de schuurdeur zal zien binnenkomen.
Hoewel voor de anderen alles heel gewoon is, zien en vragen de ouders van Bruce naar de kleinste details. Soms komt een rimpel op hun gelaat, soms een lichte glimlach.
Ze laten het verblijf van de oudjes De Wijs zien, dat nog steeds intact is. Ze staan er verbaasd over, dat die mensjes het daarin zo lang hadden volgehouden. Mark vraagt aan de boer of hij niet bang is geweest dat men het ontdekte. Men had zijn hoeve wel in brand kunnen steken.
De boer knikt, als An het vertaald heeft. 'Ja, dat wist ik, maar wat wil je? De mensjes overleveren aan de Duitsers?' En eigenlijk leest Mark op diens gelaat al wat hij bedoelt, want voordat zijn vrouw alles vertaald heeft, knikt hij begrijpend.
Het is etenstijd, en hoe men ook zegt dat dát niet de bedoeling was, ontkomen ze er niet aan. Zelfs de taxichauffeur, die een rondje om de boerderij gemaakt heeft, wordt binnen genood aan tafel.
Fleur ziet dat de vrouwe haar niet meer ontwijkt. Bevrijd van alle last en kommer ziet ze er zelfs stralender uit dan ooit. Ook Bart ziet er goed uit en dat is geen wonder als ze hoort dat hij boerenwerk heeft verricht in Duitsland. Hij lijkt niets geleden te hebben.
Het is gezellig met zoveel man aan tafel. Daarna moet er toch ook nog een kop koffie of thee gedronken worden, nietwaar?
Na een bijzonder afscheid, waarin Mark en An de boer en boerin bedanken voor de geweldige ontvangst, maar vooral ook voor wat zij voor hun zoon en zijn kameraden gedaan hebben, krijgt zelfs de boerin tranen in haar ogen. Vooral als de boer opmerkt dat hij liever had gehad dat Bruce erbij was geweest. Zij hadden zelf hun zoon teruggekregen, ongeschonden, de Masons niet.
Het doet beide partijen goed, deze woorden.

Vóór ze instappen neemt de boer Fleur apart. 'Ik ga even mee, zeg nog niet waarom, vertrouw me maar. We willen ook hier de herinnering aan Bruce levend houden. Ga jij even achterin, later loop ik wel terug.'
Verbaasd, niet wetend wat de boer wil of waar hij op doelt, stapt ze achterin bij de Masons en zegt dat de boer een klein eindje meerijdt. Niemand heeft bezwaren.
De chauffeur weet er blijkbaar van, want als de boer 'hier' zegt, stopt deze de taxi, stapt uit en loopt naar de achterbak.
'Allen even uitstappen, Fleur, vertaal maar.'
Dat blijkt niet nodig. An en Mark kijken Fleur aan, die een hulpeloos gebaar maakt.
Als de boer met een houten kruis en hamer komt, wordt het haar duidelijk. Hier heeft men Bruce dood gevonden. Aan Fleur vraagt hij, om Mark te vragen of hij zelf het kruis wil plaatsen. Hevig ontroerd leest die de mooie letters geschilderd op het kruis: Bruce Mason en dan een kruisje met daarachter: 18-10-1944.
Wolters wijst hem een plek aan in de berm van een greppel vlak bij een eik. Daar plant Mark het kruis. Dan geeft de boer een veldboeket uit de laadbak aan An. Zelf zet hij een jampot met water, waarvan hij de deksel in zijn broekzak steekt, in de grond vóór het kruis. An zet hevig geëmotioneerd de ruiker erin. Dan slaat Wolters een kruisteken en Fleur ziet dat de ouders ook bidden, terwijl tranen van droefenis over hun wangen lopen. Ook bij Fleur.
Dan pakt An Fleur vast bij haar arm. Mark pakt haar andere arm en drukt haar stijf tegen zich aan. Zo staat ieder een moment met zijn of haar eigen gedachten Bruce te herdenken.
Dan laat Mark haar los, loopt op Wolters toe en zegt geroerd, terwijl hij hem de hand schudt: '*This is great, Wolters, thanks for this beautiful gesture.*'
An bedankt met de woorden: 'Wat doet u ons hier een plezier mee. Dank u wel.'
Wolters wil 'graag gedaan' zeggen, maar de goedbedoelde woorden blijven van ontroering in zijn keel steken. Fleur geeft hem de hand en zegt: 'Wat een prachtidee, boer! Als ik in de

buurt kom, zet ik er nieuwe bloemen bij.'
'Dat mag altijd, Fleur, maar mijn vrouw heeft beloofd er elke week een ruiker te plaatsen.'
Dan draait hij zich om en stapt naar zijn hoeve terug. In de taxi op weg naar Fleurs huisje wordt er niet veel meer gezegd.
Het is deze avond niet nodig ook.
Overmorgen willen ze Overloon bezoeken, het graf en het museum. Want een stichting in het dorp is van mening dat de Slag om Overloon herdacht moet blijven. Achtergebleven materieel van beide kanten is er genoeg en kan in een soort park staan, daar waar het gebruikt was, tussen de dennenbomen. In een houten gebouw wil men de oorlog in vogelvlucht in zijn algemeenheid belichten met foto's, aangeklede soldatenpoppen van weerszijden en teksten, als verklaring van de foto's.
En gelukkig voor An en Mark is het Nationaal Oorlogs- en Verzetsmuseum Overloon een feit, als gevolg van het werk van de stichting aldaar.

HOOFDSTUK 21

September zet voort waarmee augustus begonnen is. De zon lijkt haar draai gevonden te hebben en weet niet van ophouden. Daarom stralen gouden bundels over het dorp en dus ook over de heide, tegenover het huisje van Fleur Vissers. En daar, gezeten op het bankje voor de gescheurde witte voorgevel, genieten Mark en An Mason even van het machtige schouwspel. De heide werpt een paarse gloed over de vlakte en duizenden bijen en vlinders vliegen op en strijken neer op de kleine paarse bloempjes.

'*Overwhelming*,' zegt Mark. 'Overweldigend,' beaamt An. Ze genieten van dit stukje ongerepte natuur en de stilte daaromheen. Ze zitten klaar om te vertrekken naar de plek waar hun zoon begraven ligt en wachten op de taxi die hen naar het dorp brengt. Daar zullen ze met de bus verder reizen, omdat ze een lange tijd in Overloon zullen blijven en het wachten met de taxi te hoge kosten geeft. En ze hebben de tijd.

Als de taxi arriveert, trekt Fleur de deur van haar huisje dicht. Met de auto is het een kleine tien minuten, te voet – weet Fleur maar al te goed – dik twee tot drie kwartier. Bij de kerk stappen ze uit en nauwelijks vijf minuten later houdt de bus piepend en knarsend stil.

Een klein uur duurt het, voor ze Overloon zullen bereiken. Dat komt doordat de bus elk dorpje aandoet en dus de nodige stopplaatsen kent. Niet dat er zoveel passagiers meegaan overdag. Nee, daarvoor moet men in de vroege ochtend en late avond zijn, als de mensen die hier wonen naar en van hun werk gaan. Onderweg genieten ze van de bosrijke omgeving met tussendoor de open akkervelden of weiden, waarin roodbonte koeien nauwelijks hun lome kop opheffen als de bus hun weide passeert.

'Idyllisch,' zegt An en knikt naar het landschap, dat langzaam aan hen voorbijglijdt. 'Waar wij wonen, Fleur, moet je toch een tien minuten gaan eer je zoiets vindt. Wij wonen aan de rand van Cambridge, een echte studentenstad.'

Fleur knikt, maar ze kan zich nauwelijks voorstellen wat een

studentenstad anders maakt dan een andere, behalve de studenten natuurlijk.
Nu herinnert Fleur zich van haar reis met de jeep, dat ze bijna in Overloon zijn. Ze zegt het ook. Maar haar uitleg is overbodig, want als het dorp in zicht komt, zijn de puinhopen her en der nog volop zichtbaar.
'*Unbelievable*,' is Marks treffend woord, wat zijn vrouw An met de hand voor de mond in het Nederlands beaamt: 'Ongelooflijk.'
De kerk en tientallen huizen liggen nog in puin, terwijl men toch met man en macht aan het opruimen en herstel begonnen is. Zelfs de eerste kleine, witte noodwoningen staan al her en der in het dorp, zien ze.
Bij de stukgeschoten kerk, waar men aan het puinruimen is, stopt de bus en moeten ze eruit. Fleur kent zo'n beetje de weg en loodst hen tussen de brokstukken door, naar dat deel van het dorp waar het soldatenkerkhof en het onlangs geopende museum moet zijn. Ze speurt naarstig naar een winkeltje, liefst eentje waar ze ook iets van bloemen hebben. Maar zo gauw ontdekt ze niets. Ze vraagt het aan een oude man en die wijst naar een houten gebouw aan de rand van het bos, waar ook souvenirs te verkrijgen zouden zijn. Fleur troont de geschokte ouders van Bruce mee. Ze kunnen er niet over uit dat alles hier zó in puin ligt.
Ze beginnen zich wel steeds meer een voorstelling te maken van de slag en het geweld, waarin hun zoon gevochten heeft.
Losse snijbloemen heeft de winkel niet, wel cyclamen, plantjes in wit of roze. Fleur legt uit wat de bedoeling is, en dan willen de ouders er ook een paar. En zo lopen ze, met ieder een cyclaam, alle drie wit, het zandpad op, waarvan Fleur weet dat na zo'n honderd meter links algauw de begraafplaats te zien is. Onderweg wijst Mark zijn vrouw op de vele geknakte en kapotgeschoten bomen.
Dan staan ze plotseling voor de immense begraafplaats. Fleur vertelt hun, dat hier ruim veertienhonderd Britse soldaten liggen die hier dus gesneuveld zijn, meer dan soldaten van andere nationaliteiten. An slaat een hand voor haar mond. Hoe moe-

ten ze hun zoon hier ooit vinden dan? Maar Fleur weet feilloos waar ze hem begraven hebben. Dat vergeet ze nooit.
Een paar rijen loopt ze langs en dan wijst ze op een houten kruis met de tekst: Bruce Mason. geb: 2-2-1916 en overl: 18-10-1944.
Dan komt de reactie. An huilt bittere tranen, terwijl ze steeds maar herhaalt: 'Mijn jongen toch, mijn jongen...'
Ook Mark toont zijn emoties en laat zijn tranen de vrije loop. Als Fleur de diepe droefenis bij deze ouders ziet, kan ze zich ook niet meer beheersen. Ze zet even de cyclaam neer, neemt die van An en Mark ook uit handen en dan steekt ze haar ene arm door die van An en de andere door die van Mark. Zo staan ze alle drie wenend aan het graf van hun geliefde. Hoelang weet Fleur naderhand niet eens, maar dat is ook niet van belang. Pas als alle tranen vergoten en de gemoederen wat bedaard zijn, knielt ze neer en maakt drie kuiltjes in de zanderige grafheuvel. Daar zetten ze de cyclamen in. De arbeiders die het kerkhof schoffelen en het onkruid weren en de paden schoonhouden, kijken al niet meer op van het gebeuren. Bijna dagelijks maken ze deze taferelen mee. Steeds meer familieleden van de gesneuvelden willen het graf van hun dierbaren bezoeken. Zij zijn slechts enkelen van die honderden.
Uiteindelijk bidden ze hun gebed voor de overledene. Daarna lopen ze langs de rijen, misschien dat een naam uit het bataljon van Bruce hun wat zegt. Plotseling ziet Mark de naam: Tim Macloud. Hij blijft staan.
'*Here An... Tim! Tim Macloud!*'
An en Fleur lopen terug, zien het nu ook.
'*He was in the group of Bruce,*' weet Mark. An knikt en ook Fleur heeft op de boerderij de naam weleens gehoord. Ze besluiten ook hier te bidden. Zo lopen ze de tientallen rijen langs, zien leeftijden van nauwelijks twintig jaar en beseffen dat veel ouders en geliefden in hetzelfde schuitje zitten als zij.
Erg onder de indruk van het aantal, maar ook van de wijze waarop de begraafplaats er netjes bij ligt, verlaten ze de laatste rustplaats van hun zoon. Ondanks de hevige emoties zijn ze blij, dit gedaan te hebben. Ze weten nu waar hun zoon in de

bossen van Overloon ligt en kunnen na het bezoek er beter vrede mee hebben dan voorheen.
Terug op het plein voor het museum besluit Fleur dat ze eerst een hapje gaan eten, dan kunnen ze daarna het museum bezoeken.
Café-restaurant Museumzicht is open en ze bestellen eerst een kop tomatensoep, daarna een tosti met ham en kaas. Ze drinken thee – hoe kan het ook anders – bij de tosti.
De eigenaar, een vriendelijke oude baas, komt uit het dorp. Hij vertelt Fleur dat het straks de bedoeling is dat, als men weet hoeveel Britse soldaten in Overloon blijven, men een mooier en beter kerkhof gaat aanleggen. Wel met dezelfde soort houten kruisen, maar gras eromheen en een grote stenen gedenkzuil met een plaat met de namen van de gevallenen erop. Dat moet rond 1950 een feit zijn.
An heeft het meegekregen en vertaalt het gretig en opgetogen aan Mark. Nog blijer is ze als ze hoort dat dan de schooljeugd van Overloon ieder een eigen graf adopteert en er zorg voor draagt, door bijvoorbeeld er regelmatig een bloemetje op te zetten. An en Mark vinden het een geweldig initiatief. Het doet hun zichtbaar goed.
Als de maaltijd gedaan is, koopt Fleur drie toegangskaartjes en een Nederlandse en een Engelse gids aan de grote, blauwe toegangspoort. Direct valt An het grote stenen standbeeld op van Koningin Wilhelmina, met daaronder de tekst in steen uitgehouwen: ‘Sta een ogenblik stil bij de felste slag…’
Mark kan het in de gids lezen, An leest het op de stenen tafel. En beiden knikken na het lezen begripvol. Dan zien ze het materieel dat in de slag achtergebleven is en verspreid ligt over de vele hectaren bos. Het zijn stille getuigen van deze tankslag. De Duitse Panthertank, de Amerikaanse Sherman, afweergeschut, zoeklichten, kanonnen, de schuttersputjes. Een baileybrug, gebruikt over de beek tussen Overloon en Venray, door de bewoners de ‘bloedbeek’ genoemd vanwege de vele omgekomen soldaten. Ze denken aan het bloed dat er zo talrijk vloeide.
An en Mark kunnen zich haast geen voorstelling maken over de omvang van dit alles, omdat Groot-Brittannië, op wat bombar-

dementen na, verder gespaard bleef. Hitler heeft daar gelukkig met zijn troepen nooit een voet aan wal gezet.
Dan gaan ze het houten museumgebouw binnen. Direct valt op dat rechts de vitrines zijn met poppen in uniformen van de geallieerden, met geweren, handgranaten, hun uitrusting. Links bevinden zich de Duitse vitrines. Verderop in het gebouw bekijken ze de vele foto's met teksten. Ook ligt er het boek *Mein Kampf*, waarin de ideologie van Hitler beschreven staat.
Op de teksten naast de foto's lezen ze: Verliezen bij de Slag om Overloon: De Amerikanen: 452 gesneuvelden, 2 vliegtuigen en 35 tanks. De Britten: 1426 gesneuvelden, 1 vliegtuig en een paar tanks. De Duitsers: 600 manschappen, een Panthertank en een Tigertank.
Bij de foto's van de Jodenvervolging kan Fleur het niet nalaten te zeggen dat ze de oudjes De Wijs toch maar mooi niet gesnapt hebben. De concentratiekampen en verbrandingsovens maken een diepe indruk op hen allen.
Mooi vinden ze aan het einde van de tentoonstelling het grote kruis in een soort kapel, met ervoor witte graven, uitgebeeld met houten bielzen en daartussen witte steentjes. Bij het kruis staat een grote, ovale koperen schotel met de eeuwige vlam brandend. Ze slaan in deze stille ruimte automatisch een kruis en richten een gebed naar omhoog. Voor hen die hun leven gaven, voor onze vrijheid.
Overlopend van emotie verlaten An, Mark en Fleur de kapel en komen weer in de bossen met de geknakte bomen.
Het is Mark die het eerst weer spreekt. '*It is great, what they do here. Such a war shall never be again. Never... you know.*'
Fleur knikt en An zegt: 'Opdat wij dit ook nooit vergeten...'
En daar kunnen ze zich alle drie in vinden.
Gearmd, als ouders en dochter, verlaten ze de plek waar de Slag om Overloon vele offers vroeg. Hun geliefde Bruce was een van de velen. Helaas!

De vierde september is de laatste dag dat de Masons in Nederland zijn.
Ze hebben de indrukken en gebeurtenissen van gisteren een

plekje kunnen geven en zijn blij de reis ondernomen te hebben. Vandaag genieten ze allereerst buiten van het mooie uitzicht. Na de lunch willen ze met Fleur een lange wandeling maken over de heide en door de bossen.
Fleur laat hun dan de mooie plekjes zien waar ze zelf in haar jeugd gespeeld heeft. De beek, de zandduinen op een grote open plek in het bos. Ze verhaalt van haar jeugdvriend Harm, die hier de Britse piloten vanuit haar huisje door de moerassen naar België bracht, om vandaar met vissersboten terug te keren naar hun vaderland. Dan loopt ze bewust even de bossen in van de baron. Officieel is het verboden, maar als An op de bordjes met 'verboden toegang' wijst, zegt ze dat de jachtopziener haar schoolvriend Harm is en dat die wel een oogje dichtknijpt voor hen.
Dat laatste doet hij niet, want hij merkt hen op en komt naar hen toe. Maar met een lach gelukkig, zien de Masons. Fleur stelt hen voor en Harm knikt, zegt zijn naam. Fleur vraagt hoe het met Wiesje gaat. Prima, Fleur moet maar eens komen kijken. De kinderkamer is klaar.
An is verrukt als ze hoort dat Harm en zijn vrouw een baby verwachten. Fleur belooft eens aan te komen, en dan nemen ze met een handdruk afscheid van de jachtopziener.
Ze lopen nog even langs het kasteeltje met de gracht eromheen. Fleur merkt op dat ze hier op dit water schaatsen geleerd heeft met Harm. 'Zwemmen zul je bedoelen,' lacht An. 'Ja, natuurlijk, toen het ijs was,' verbetert Fleur lachend haar woorden.
De Masons blijken goede wandelaars te zijn, want ze houden het zowaar een paar uur vol, genietend van de rust, de vogels en de heide. Tot Mark plotseling stilstaat en zijn vinger tegen zijn gesloten lippen plaatst. Dan wijst hij de boskant uit. Ja, nu zien ze alle drie een ree uit het bos komen, het pad oversteken en weer verdwijnen in de bossen aan de andere kant.
'Tjee,' ontsnapt het uit Ans mond. 'Wat mooi!'
'*Great*!' bevestigt Mark de uitspraak van zijn echtgenote.
Dan lopen ze opgetogen verder.
En zo verloopt de laatste middag voor het paar in Nederland.

Die avond wordt hun bezoek nog eens uitvoerig in hun verhalen uit de doeken gedaan.
'We zijn zo blij, Fleur,' vertolkt An haar gevoelens, 'dat we dit gedaan hebben.' En ondanks dat ze dat in het Nederlands zegt, knikt Mark beamend.
'We zijn verguld met jouw gastvrijheid, je bent waarlijk een van de onzen geworden. Eigenlijk onze dochter, nietwaar Mark?' En weer heeft Mark het Nederlands begrepen, want hij antwoordt: '*She ís our daughter An, if... if she wants that... of course.*'
Fleur grijpt een hand van beiden. 'Graag... héél graag, wil ik jullie dochter zijn. Ik was haast jullie schoondochter geweest, maar dit is ook mooi.'
Mark gaat erop in: '*If you want that, Fleur, come in our house as a daughter. Perhaps you will find a husband. And perhaps... we get grandchildren, the great wish of An and me.*'
En bang dat Fleur het niet goed begrepen heeft, zegt An: 'Werkelijk, Fleur, je bent bij ons welkom als onze dochter, en mocht je een man vinden en trouwen en kinderen krijgen, dan maak je ons dolgelukkig.'
Het overrompelt Fleur. Ze had er wel van gedroomd, toen Bruce er nog was. Ze had toen ook al aangegeven desnoods mee te gaan naar Engeland. Maar nu, zonder hem, is het toch anders. Ze ziet echter aan de ogen van die twee naast haar, dat ze een antwoord verwachten. Ze schraapt van ontroering haar keel en zegt geëmotioneerd: 'Wat fijn om dat te horen, lieve mensen. Maar het overvalt me.' Beide anderen knikken. Ze begrijpen het.
'Maar ik ga erover nadenken. Jullie willen toch ieder jaar op Bruce' sterfdag naar zijn graf komen?' Beiden knikken, zelfs Mark, die veel beter het Nederlands verstaat dan het spreekt.
'Welnu, als jullie volgend jaar weer bij mij komen, dan heb ik de beslissing genomen. Of ik blijf dan voorgoed hier in Nederland, òf ik ga als jullie dochter mee en zoek verder mijn heil bij jullie.' Aan de ogen van het paar ziet ze dat haar woorden hun goeddoen en dat zij begrip hebben voor het feit dat ze er eerst eens goed over wil nadenken.

Die avond kussen zij Fleur goedenacht met de woorden: 'Slaap lekker, dochter' en 'goedenacht, dochter.'
Ze ligt er nog lang wakker van. Wat een lieve mensen zijn het toch! Nu weet ze waar Bruce dat lieve van had.
En ze droomt veel die nacht. Maar alles in haar droom speelt zich af in Engeland.

Vijf september wijst de scheurkalender van Fleur aan de wand. De vertrekdag voor haar gasten.
De koffers worden gepakt en het ontbijt wordt niet zoveel eer aangedaan als de andere ochtenden. Alle drie hebben ze moeite met het afscheid.
Gelukkig komt de taxi al vroeg. Want An en Mark moeten de trein van halfelf hebben in Eindhoven. De boot vertrekt die middag om twee uur vanuit Hoek van Holland en dan zijn ze tegen de avond weer thuis in Cambridge.
Mark koopt de treinkaartjes en een perronkaartje voor Fleur. Ze hebben nog even de tijd, voordat de trein zal vertrekken. Mark zegt even naar het toilet te willen en An en Fleur snappen wel, dat het bij die spanning heel gewoon is.
Even later komt Mark terug en overhandigt Fleur een klein pakje. '*For you, for all what you did for us.*'
Blijkbaar weet An er ook van, want die zegt: 'Ja Fleur, voor je geweldige gastvrijheid en alles wat je deed voor ons en Bruce.' En bij dat laatste springen er tranen in haar ogen.
Fleur moet het pakje nu openmaken. Wat zenuwachtig frommelt ze het gekleurde papiertje er af en ziet een klein doosje. Haar hart bonst in haar keel. Nog erger wordt dat, als ze het dekseltje opent en er een gouden hartje met kettinkje in ziet liggen.
'Oooh,' roept ze uit, 'wat mooi! Wat lief!' En ze zoent eerst Mark, dan An. Ze moet het gelijk omdoen en An helpt haar erbij.
Dan dendert de trein binnen en haasten ze zich naar een coupé. Fleur gaat mee naar binnen, en helpt An haar koffer in het net te leggen. Dan moeten ze afscheid nemen. Daar hebben ze de hele dag zó tegen opgezien. Mark omklemt met beide handen

Fleurs gezicht, kust haar op elke wang en zegt: '*Goodbye, daughter, we will write you quickly.*'
Dan valt An Fleur schreiend om haar hals. 'Bedankt, Fleur, nee, bedankt... dòchter Fleur, want zo noem ik jou voortaan, hoor!' en ze geven elkaar zoenen op elkaars natte wangen.
Het fluitje van de stationschef doet Fleur haastig de trein uit gaan. De deuren worden dichtgeslagen en na nog een fluitstoot zet de trein zich langzaam in beweging.
Mark heeft hun raampje opengedraaid en beiden steken hun handen naar buiten. Even grijpt Fleur ze met betraande ogen vast, dan laat ze los, drukt haar beide handen tegen de lippen en brengt ze dan als laatste groet naar voren, naar hen toe. Zij maken een soortgelijk gebaar. Dan nemen witte stoomwolken bezit van het perron en dus ook van Fleur.
Nog eenmaal heft ze beide armen op, maar of Mark en An dat nog opmerken is de vraag.

Ontroerd, met een bezwaard hart, wandelt Fleur dan langzaam in de richting van de uitgang.
De chauffeur van de taxi ziet hoe het afscheid haar heeft aangegrepen, en houdt voorlopig zijn mond. Hij wacht wel tot zijn dorpsgenote als eerste iets zegt. Maar dat duurt een hele tijd en dan zijn ze al bijna in hun dorp, zó is Fleur nog in gedachten bij An en Mark.
Thuis bedankt ze de chauffeur. Ze wil afrekenen, maar dan blijkt dat Mark dat al aan het begin van de rit gedaan heeft. 'Zelfs met een goede fooi, Fleur! Nee, het is dik voor mekaar.' En met een stoot op zijn claxon rijdt hij weer het zandpad af.
Fleur gaat eerst even op het bankje zitten.
Wat een rust, nu ze weer weg zijn. Het was toch wel gezellig druk in huis geweest. Niet alleen zijn en altijd aanspraak.
Dat kan ze terughebben, als ze hun aanbod naar hen te komen aanvaardt.
Maar wil ze dat? Kan ze haar geboortegrond verlaten? Haar dorp, haar huisje?
Anderzijds, heeft ze dan zóveel bekenden hier? Familie helemaal niet. Harm en Wiesje kent ze. Maar straks, als daar de klei-

ne is, hebben die hun eigen leven. De Bartels' ook.
Eigenlijk zou ze eens een week op vakantie moeten bij An en Mark. Ze zal méér dan welkom zijn. Dan voelt ze misschien wel of ze zich daar thuis voelt in Cambridge, in Engeland.
Ja, dat doet ze! Ze zal hun schrijven en dan ziet ze wel verder.
En met die gedachte gaat ze binnen het een en ander opruimen wat vanmorgen in alle haast is blijven liggen.
Het boekje *Beginnend Engels* bijvoorbeeld. Eigenlijk is dat niet nodig geweest. Maar als ze daar wil wonen en werken wel natuurlijk.
Ze legt het op de kast, ze zal wel zien!

Na een paar dagen neemt het werk haar weer in bezit. Dan worden de gedachten over Bruce' ouders weer langzaam verdrongen door andere besognes.
En naarmate de tijd verstrijkt, is ze er niet meer zo zeker van dat emigreren naar Engeland dé oplossing is. De lieve mensen daar in Cambridge ten spijt.
Want als ze de heide en de bossen om haar huisje ziet, als ze de blauwe luchten bekijkt en de vergezichten, beseft ze dat ze wel alleen is, maar ook rijk. Niet financieel misschien, maar wel in gezondheid, met haar werk, haar huisje en het Brabantse land.
En och, wat zei moeder ook alweer? 'Het loopt, zoals het loopt...' Toch?